#홈스쿨링
#혼자공부하기

똑똑한
하루 과학

Chunjae
Makes
Chunjae

▼

똑똑한 하루 과학

기획총괄   박상남

편집개발   조진형, 구영희, 김현주, 김성원

디자인총괄   김희정

표지디자인   윤순미, 박민정

내지디자인   박희춘, 우혜림

본문 사진 제공   야외생물연구회, 셔터스톡

제작   황성진, 조규영

발행일   2023년 1월 15일 2판 2023년 1월 15일 1쇄

발행인   (주)천재교육

주소   서울시 금천구 가산로9길 54

신고번호   제2001-000018호

고객센터   1577-0902

똑 똑 한
하루
과학

4-1

똑똑한 하루 과학

어떤 책인지 알면 공부가 더 재미있어.

똑똑한 하루 과학 구성과 특징

· 핵심 용어만 쏙!
· 한자와 예문으로 이해 쏙쏙!
· 그림으로 기억력 UP!

핵심 용어

1일~4일 학습

실험 동영상 ●

빠른 정답 보기 ●

❶ 개념 만화

❷ 개념 익히기

❸ 개념 확인하기

·'❶ 개념 만화 → ❷ 개념 익히기 → ❸ 개념 확인하기' 3단계로 하루 학습
· 하루 6쪽, 4주면 한 학기 공부 끝!

5일 마무리 학습

❶ 핵심 개념

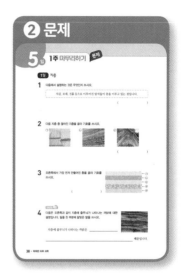

❷ 문제

· '❶ 핵심 개념 → ❷ 문제' 2단계로 하루 학습

특강

누구나 100점 TEST

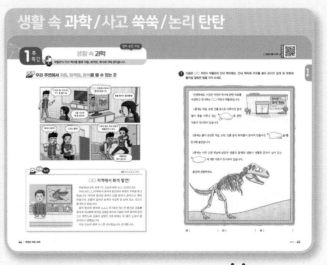

생활 속 과학 / 사고 쑥쑥 / 논리 탄탄

· 한 주에 배운 내용을 확인하는 누구나 100점 맞는 TEST
· 재미있고 새로운 유형의 특강으로 창의력, 사고력, 논리력 UP!

재미있게 똑똑해지네?

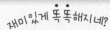

하루하루

조금씩 기초부터 쌓다 보면
어느새 자신감이 생겨.

똑똑한 하루 과학 차례

물체의 무게

3주

혼합물의 분리

4주

똑똑한 하루 과학을 함께할 친구들

레아

게임 속 전사 캐릭터로
뛰어난 지식과 신체
능력을 지닌 여자 아이

두리

게임을 좋아하는
4학년 남학생

댕이

현실에서는 단순한 강아지
였지만 게임 속에서는
뛰어난 능력의 전사

자파

게임 최종 단계에서
만나는 보스

과학 탐구

탐구할 때 관찰, 측정, 예상, 분류, 추리, 의사소통과 같은 활동을 해.

1 관찰하기

① 변화 과정 관찰하기 : 변화가 일어나기 전, 변화가 일어난 후의 모습을 모두 관찰하고 비교합니다.

② 관찰할 때 사용할 수 있는 감각 기관 : 눈, 코, 입, 귀, 피부의 다섯 가지 감각 기관

③ 감각 기관만으로 관찰하기 어려울 때 : 돋보기, 현미경, 청진기 등의 관찰 도구를 사용할 수 있습니다.

2 측정하기

① 대상을 측정하기에 알맞은 측정 도구를 선택하여 올바른 방법으로 사용해야 합니다.

② 액체의 부피를 측정할 때에는 눈금실린더, 물체의 무게를 측정할 때에는 저울을 사용합니다.

눈금실린더의 눈금을 읽는 방법	전자저울의 사용 방법
액체의 가운데 오목한 부분에 눈높이를 맞춰 눈금을 읽음.	수평을 맞추는 공기 방울이 검은색 원 안의 한가운데에 오게 하고 영점 단추를 누름.

이미 관찰하거나 경험한 것을 바탕으로 하여 앞으로의 일을 예상해.

3 예상하기

• 측정하지 않은 값을 정확하게 예상하려면 이미 측정한 값에서 규칙을 찾아야 합니다.

• 측정한 값이 많을수록 규칙을 쉽게 찾아낼 수 있으며 측정하지 않은 값을 더 정확하게 예상할 수 있습니다.

4 분류하기

① 과학적으로 분류하기 위한 방법

• 공통점과 차이점을 바탕으로 기준을 세웁니다.

• 한 번 분류한 것을 여러 단계로 계속 분류합니다.

▷ 분류 대상 각각의 성질을 자세히 알 수 있고, 분류 대상 전체와 부분의 관계도
쉽게 이해할 수 있습니다.

③ 과학적인 분류 기준이 갖추어야 할 조건 : 누가 분류하더라도 같은 분류 결과가
나오는 분류 기준이 과학적인 분류 기준입니다.

例 핀치 새를 관찰하고 분류 기준을 정하여 분류하기

깃털의 색깔,
부리의 모양, 먹이의
종류 등에 따라 분류할
수 있어.

분류 기준 : 먹이를 먹는 곳이 땅인가?	그렇다.	아니다.
	❹, ❺, ❼	❶, ❷, ❸, ❻, ❽

5 추리하기

① 추리할 때에는 대상을 다양하게 관찰하고 이를 바탕으로 하여 추리해야 합니다.

② 관찰한 것을 자신이 알고 있는 것이나 과거 경험과 관련지어 생각해야 합니다.

③ 추리한 것이 관찰 결과를 모두 설명할 수 있어야 합니다.

다른 사람이
이해하기 쉽게
말해야 해.

6 의사소통하기

① 타당한 근거를 제시하여 설명합니다.

② 정확한 용어를 사용하여 간단하게 설명합니다.

③ 표, 그림, 그래프, 몸짓 등과 같은 다양한 방법을 사용합니다.

지층과 화석

이번 주에는 무엇을 공부할까? ①

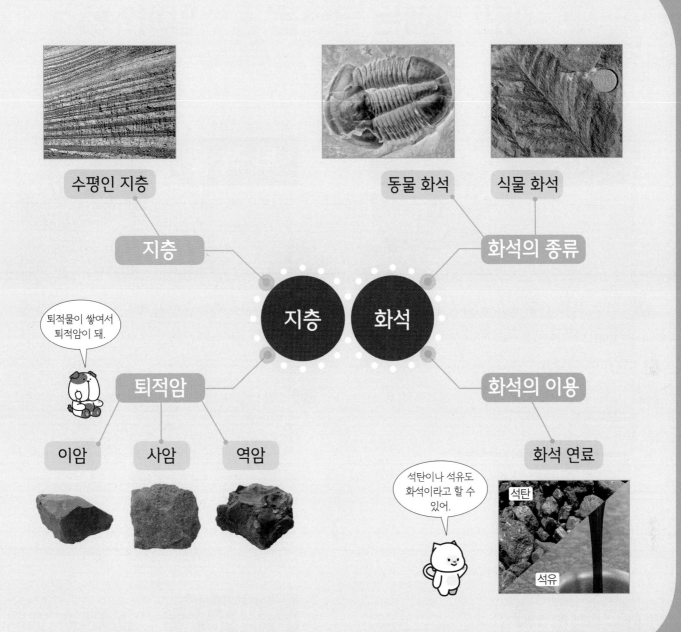

수평인 지층

동물 화석　식물 화석

지층

화석의 종류

지층　화석

퇴적물이 쌓여서
퇴적암이 돼.

퇴적암

화석의 이용

이암　사암　역암

화석 연료

석탄이나 석유도
화석이라고 할 수
있어.

석탄

석유

퇴적물이 쌓여 퇴적암이 되고,
지층 속에서 화석이 발견된다는
것을 꼭 기억해!

지층

地 層
땅 지 층 층

> 나에게는 줄무늬가 있어.

뜻 자갈, 모래, 진흙 등으로 이루어진 암석들이 층을 이루고 있는 것

예 도로 옆의 산을 깎아 놓은 부분에서 **지층**을 본 적이 있어요.

퇴적물

堆 積 物
쌓을 퇴 쌓을 적 물건 물

뜻 물 등에 의해 운반된 자갈, 모래, 진흙 등이 쌓인 것

예 **퇴적물**이 퇴적암이 되려면 매우 오랜 시간이 걸려요.

> 지층과 퇴적암이 만들어지는 데에는 매우 오랜 시간이 걸려.

퇴적암

堆 積 巖
쌓을 퇴 쌓을 적 바위 암

> 지층은 대부분 퇴적암으로 되어 있어.

뜻 물이 운반한 자갈, 모래, 진흙 등의 퇴적물이 굳어져 만들어진 암석

예 제주도에 가면 화산재가 쌓여 만들어진 **퇴적암**을 볼 수 있어요.

역암

礫 巖
조약돌 바위 암
역

뜻 주로 자갈, 모래 등이 굳어져 만들어진 암석

예 **역암**은 주로 해안이나 얕은 바다, 강기슭, 강바닥에 퇴적되어 만들어져요.

지층과 화석과 관련된 다양한 용어가 있어.
특히 지층, 퇴적암, 화석 등의 용어는 꼭 기억해!

공룡의 뼈가
지층 속에
남아 있어.

화 석

化 石

될 화 돌 석

뜻 옛날에 살았던 생물의 몸체와 생물이 생활한 흔적이 남아 있는 것

예 어느 산에서 조개 **화석**이 발견되었다면 그 지역은 옛날에 바다나 강 또는 호수였을 것이에요.

발자국, 기어간 흔적도
화석이 될 수 있어.

동물 화석

動 物

움직일 동 물건 물

뜻 동물의 몸체나 생활한 흔적이 화석이 된 것

예 화석은 오늘날에 살고 있는 생물과 비교하여 **동물 화석**과 식물 화석으로 구분할 수 있어요.

식물 화석

植 物

심을 식 물건 물

뜻 식물의 줄기, 잎 등의 몸체나 흔적이 화석이 된 것

예 고사리 화석, 나뭇잎 화석, 은행나무 잎 화석은 **식물 화석**이에요.

지층 속에 조개
화석이 있어.

누군가 먹고 버린
조개껍데기잖아.

그건 오래되지 않아서
화석이 될 수 없어.

정답 ① 지층

자갈, 모래, 진흙 등이 계속 쌓이면 어떻게 될까?

용어 체크

📍 **지층**

자갈, 모래, 진흙 등으로 이루어진 암석들이 층을 이루고 있는 것

예 산기슭이나 바닷가 절벽 등에서 ❶ _____ 을 볼 수 있다.

정답 ① 지층

1주

 지층에는 여러 가지 형태가 있어!

여기 보세요.
보기엔 그냥 게임 같지만,
이건 📍**수평인 지층**이고요.

또 이건 📍**끊어진 지층**,
그리고 이건 📍**휘어진**
지층이잖아요!

우리 두리가 정말 열심히
공부하고 있었구나?

쓰담 쓰담

에헴~

간식 필요하면
이야기하렴.

탁

네~

엄마도 참 이걸 속다니!
그럼 다시 시작해 볼까?

흐흐

멍 멍

! 레벨 업을 시도
! 하시겠습니까?

어, 이게 뭐지?
레벨 업을 하라고?

레벨 업이라면 당연히
클릭해야겠지?

끼잉

큭
큭

🐼 **용어 체크**

📍 **수평인 지층**

여러 개의 층이 수평으로 쌓여
있는 지층

📍 **끊어진 지층**

층이 끊어져 어긋나 있는 지층

📍 **휘어진 지층**

층이 구부러져 있는 지층

예 수평인 지층, 끊어진 지층, 휘어진 지층에서 모두 ❶ [   ]를 볼 수 있다.

1 지층은 어떤 모양일까?

줄무늬가 있음.

자갈, 모래, 진흙 등으로 이루어진 암석들이 층을 이루고 있는 것을 지층이라고 해.

층의 두께, 색깔 등이 다름.

✔ 지층에는 ❶(점무늬 / 줄무늬)가 보이며, 층의 두께나 색깔 등이 다릅니다.

2 지층에는 어떤 모양이 있을까?

수평인 지층

얇은 층이 수평으로 쌓여 있음.

끊어진 지층

층이 끊어져 어긋나 있고, 같은 두께와 색깔의 층이 연결되어 있지 않음.

휘어진 지층

층이 구부러져 있음.

여러 가지 지층의 공통점

• 줄무늬가 보임.
• 여러 개의 층으로 이루어져 있음.

여러 가지 지층의 차이점

• 지층의 모양이 서로 다름.
• 지층의 두께와 색깔이 다름.

✔ 지층은 수평인 지층, 끊어진 지층, 휘어진 지층 등 모양이 ❷(같습 / 다양합)니다.

3 지층은 어떻게 만들어질까?

▶ 실험 동영상

🌐 지층이 만들어져 발견되는 과정

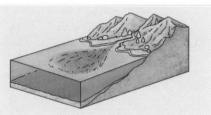

1 물이 운반한 자갈, 모래, 진흙 등이 쌓임.

지층에 줄무늬가 나타나는 까닭은 지층을 이루고 있는 자갈, 모래, 진흙의 알갱이 크기와 색깔이 서로 다르기 때문이야.

2 자갈, 모래, 진흙 등이 계속 쌓이면 먼저 쌓인 것들이 눌림.

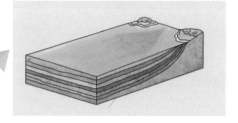

3 오랜 시간이 지나면 단단한 지층이 만들어짐.

아래에 있는 층이 위에 있는 층보다 먼저 만들어져.

4 지층은 땅 위로 솟아오른 뒤 깎여서 보임.

✓ 지층은 ^③(물 / 사람)이 운반한 자갈, 모래, 진흙 등이 쌓인 뒤에 오랜 시간을 거쳐 단단하게 굳어져 만들어집니다.

정답 ❶ 줄무늬 ❷ 다양함 ❸ 물

🐼 개념 체크

◦ 정답과 풀이 1쪽

1 지층은 자갈, 모래, 진흙 등으로 이루어진 ☐☐이 층을 이루고 있는 것입니다.

2 지층은 ☐☐☐가 있고, 여러 개의 층으로 이루어져 있습니다.

3 지층은 ☐☐ 시간을 거쳐 만들어집니다.

보기
• 오랜   • 짧은
• 금속   • 암석
• 줄무늬 • 점무늬

개념 확인하기

● 정답과 풀이 1쪽

1 다음 중 자갈, 모래, 진흙 등으로 이루어진 암석들이 층을 이루고 있는 것을 뜻하는 것은 어느 것입니까? ( )

① 대지   ② 지각   ③ 지층

④ 토지   ⑤ 화산

2 다음 보기 에서 아래 지층에 대한 설명으로 옳지 <u>않은</u> 것을 골라 기호를 쓰시오.

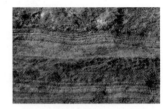

보기

㉠ 줄무늬가 보입니다.

㉡ 층의 색깔이 모두 같습니다.

㉢ 층의 두께가 얇은 것도 있고 두꺼운 것도 있습니다.

( )

3 다음 지층 중 휘어진 지층을 골라 기호를 쓰시오.

㉠    ㉡    ㉢

( )

4 다음 중 여러 가지 모양의 지층의 공통점으로 옳은 것을 두 가지 고르시오.

(,)

① 줄무늬가 보인다.

② 층의 두께가 같다.

③ 층의 색깔이 같다.

④ 바닷가에서만 볼 수 있다.

⑤ 여러 개의 층으로 이루어져 있다.

5 다음 지층이 만들어져 발견되는 과정 중 가장 나중에 일어나는 것은 어느 것입니까? (   )

①
▲ 지층은 땅 위로 솟아오른 뒤 깎여서 보임.

②
▲ 물이 운반한 자갈, 모래, 진흙 등이 쌓임.

③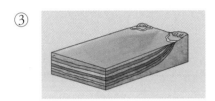
▲ 오랜 시간이 지나면 단단한 지층이 만들어짐.

④
▲ 자갈, 모래, 진흙 등이 계속 쌓이면 먼저 쌓인 것들이 눌림.

6 다음 지층과 지층이 만들어진 순서를 줄로 바르게 이으시오.

(1) 위에 있는 지층 •

(2) 아래에 있는 지층 •

• ㉠ 먼저 만들어진 것

• ㉡ 나중에 만들어진 것

똑똑한 하루 퀴즈

7 다음 □ 안에 들어갈 알맞은 낱말을 말 상자에서 찾아 모두 ○표를 하세요. 말 상자의 낱말은 가로, 세로, 대각선에 숨어 있어요.

색	깔	⭐	줄
지	⭐	수	무
층	평	⭐	늬
끊	어	진	⭐

❶ 자갈, 모래, 진흙 등으로 이루어진 암석들이 층을 이루고 있는 것. □□

❷ 수평인 지층은 얇은 층이 □□으로 쌓여 있음.

❸ □□□ 지층은 층이 끊어져 어긋나 있음.

❹ 여러 가지 지층에서는 공통적으로 □□□가 보임.

2일 퇴적암

퇴적암은 무엇으로 만들어졌을까?

용어 체크

퇴적물

물 등에 의해 운반된 자갈, 모래, 진흙 등이 쌓인 것

예 **①**〔   〕이 점점 쌓이고 굳어지면 퇴적암이 된다.

퇴적암

물이 운반한 자갈, 모래, 진흙 등의 퇴적물이 굳어져 만들어진 암석

예 지층의 대부분은 **②**〔   〕으로 되어 있다.

정답 ① 퇴적물 ② 퇴적암

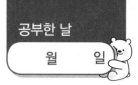
 역암을 이루는 성분에는 어떤 것이 있을까?

1주

용어 체크

이암
진흙과 같이 매우 작은 알갱이가 굳어져 만들어진 암석

사암
주로 모래가 굳어져 만들어진 암석

역암
주로 자갈, 모래 등이 굳어져 만들어진 암석

예 이암, 사암, 역암은 암석을 구성하는 알갱이의 ❶ [　　　]가 서로 다르다.

정답 ❶ 크기

1 지층을 이루고 있는 암석은 무엇일까?

▲ 대부분의 지층은 퇴적암으로 이루어져 있음.

물이 운반한 자갈, 모래, 진흙 등의 퇴적물이 굳어져 만들어진 암석을 퇴적암이라고 해.

▲ 퇴적암

🌐 **퇴적암의 분류**

이암	사암	역암

• 진흙, 갯벌의 흙과 같이 작은 알갱이로 되어 있는 암석 • 알갱이가 매우 작고, 부드러움.	• 주로 모래가 굳어져 만들어진 암석 • 약간 거칢.	• 주로 자갈, 모래 등이 섞여 굳어져 만들어진 암석 • 부드럽기도 하고 거칠기도 함.

퇴적암은 알갱이의 크기에 따라 분류해.

알갱이의 크기는 이암 < 사암 < 역암의 순서야.

✔️ 지층은 ❶(**퇴적암** / **화성암**)으로 이루어져 있습니다.

2 퇴적암은 어떻게 만들어질까?

🌐 **실제 퇴적암과 퇴적암 모형 비교**

만들어지는 데 오랜 시간이 걸림.

▲ 실제 퇴적암(사암)

모두 모래로 만들어졌어.

만드는 데 걸리는 시간이 짧음.

▲ 모래로 만든 퇴적암 모형

🌐 **퇴적암이 만들어지는 과정**

▲ 물, 햇빛, 바람 등에 의해 암석이 부서짐.

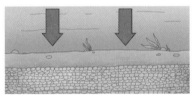

▲ 퇴적물이 계속 쌓여 눌리면서 부피가 줄고 서로 단단하게 붙음.

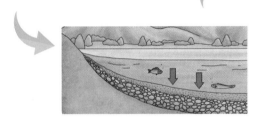

▲ 물에 의해 퇴적물이 운반되어 강이나 바다에 쌓임.

▲ 이런 과정이 오랫동안 반복되면 퇴적암이 만들어짐.

☑️ 물에 의해 운반된 ❷(암석 / 퇴적물)이 쌓이는 과정이 반복되면 퇴적암이 만들어집니다.

정답 ❶ 퇴적암 ❷ 퇴적물

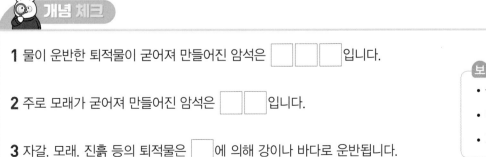

🐻 **개념 체크**

○ 정답과 풀이 1쪽

1 물이 운반한 퇴적물이 굳어져 만들어진 암석은 ☐☐☐ 입니다.

2 주로 모래가 굳어져 만들어진 암석은 ☐☐ 입니다.

3 자갈, 모래, 진흙 등의 퇴적물은 ☐ 에 의해 강이나 바다로 운반됩니다.

보기
- 물
- 불
- 이암
- 사암
- 퇴적암
- 현무암

개념 확인하기

● 정답과 풀이 1쪽

1 다음에서 설명하는 것은 무엇인지 쓰시오.

> 물이 운반한 자갈, 모래, 진흙 등의 퇴적물이 굳어져 만들어진 암석입니다.

(   )

2 다음 중 퇴적암에 대한 설명으로 옳은 것은 어느 것입니까? (   )

① 화산 활동으로 만들어진 암석이다.

② 퇴적암에는 현무암, 화강암 등이 있다.

③ 이암은 사암보다 알갱이의 크기가 크다.

④ 대부분의 지층은 퇴적암으로 이루어져 있다.

⑤ 퇴적암은 알갱이의 색깔에 따라 분류할 수 있다.

3 다음에서 만들어지는 데 더 오랜 시간이 걸리는 것을 골라 기호를 쓰시오.

㉠

▲ 모래로 만든 퇴적암 모형

㉡

▲ 실제 퇴적암(사암)

(   )

4 다음 중 위 **3**번의 모래로 만든 퇴적암 모형과 실제 퇴적암(사암)의 공통점으로 옳은 것은 어느 것입니까? (   )

① 진흙으로 만들어졌다.

② 주로 자갈로 되어 있다.

③ 모두 모래로 만들어졌다.

④ 종이컵에 넣고 눌러서 만든다.

⑤ 만들어질 때 물 풀이 필요하다.

5 다음은 퇴적암이 만들어지는 과정을 순서에 관계없이 나열한 것입니다. 순서에 맞게 기호를 각각 쓰시오.

> ㉠ 물, 햇빛, 바람 등에 의해 암석이 부서집니다.
> ㉡ 물에 의해 퇴적물이 운반되어 강이나 바다에 쌓입니다.
> ㉢ 이런 과정이 오랫동안 반복되면 퇴적암이 만들어집니다.
> ㉣ 퇴적물이 계속 쌓여 눌리면서 부피가 줄고 서로 단단하게 붙습니다.

(   ) → (   ) → (   ) → (㉢)

집중 연습 문제 **퇴적암의 분류**

6 다음 퇴적암 중 이암인 것을 골라 기호를 쓰시오.

㉠
▲ 손으로 만지면 부드러움.

㉡
▲ 손으로 만지면 약간 거칢.

(   )

이암, 사암을 이루고 있는 알갱이를 써 볼까?

• 이암 ➡ ◯ ◯
• 사암 ➡ ◯ ◯

퇴적암은 알갱이의 크기 차이에 따라 분류할 수 있다는 것을 생각해 봐.

7 이암, 사암, 역암 중 다음 설명에 해당하는 암석을 쓰시오.

> • 색깔은 회색, 갈색 등 다양합니다.
> • 주로 자갈, 모래 등으로 되어 있습니다.
> • 손으로 만지면 부드럽기도 하고 거칠기도 합니다.

(   )

3_일 화석

동식물이 죽은 후에 흔적을 남겼다면?

용어 체크

📍 **화석**

옛날에 살았던 생물의 몸체와 생물이 생활한 흔적이 남아 있는 것

예 동물의 뼈나 식물의 잎과 같은 생물의 몸체뿐만 아니라 동물의 발자국 이나 기어긴 흔적도 [①   ] 이 될 수 있다.

▲ 물고기 화석

정답 ① 화석

1
주

🐻 화석을 두 가지로 분류해 볼까?

 용어 체크

⦿ 동물 화석

동물의 몸체나 생활한 흔적이 화석이 된 것

예 공룡알 화석과 공룡 발자국 화석은
❶ [   ] 화석이다.

⦿ 식물 화석

식물의 줄기, 잎 등의 몸체나 흔적이 화석이 된 것

예 은행나무 잎 화석은 ❷ [   ] 화석이다.

정답 ❶ 동물 ❷ 식물

3일 개념 익히기

1 화석이란 무엇일까?

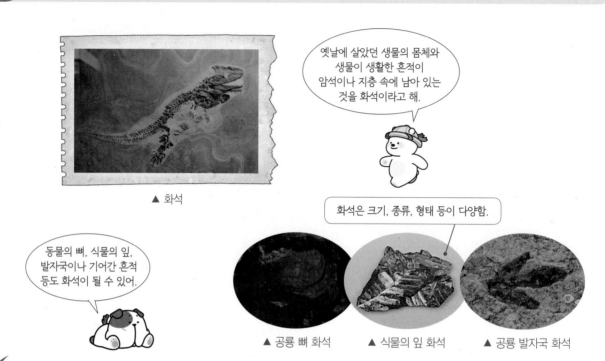

▲ 화석

> 옛날에 살았던 생물의 몸체와 생물이 생활한 흔적이 암석이나 지층 속에 남아 있는 것을 화석이라고 해.

> 동물의 뼈, 식물의 잎, 발자국이나 기어간 흔적 등도 화석이 될 수 있어.

> 화석은 크기, 종류, 형태 등이 다양함.

▲ 공룡 뼈 화석   ▲ 식물의 잎 화석   ▲ 공룡 발자국 화석

☑ 화석은 ❶(최근 / 옛날)에 살았던 생물의 몸체, 생활한 흔적 등이 남아 있는 것입니다.

2 화석이 아닌 것에는 무엇이 있을까?

▲ 고인돌   ▲ 모래에 난 발자국

> 고인돌은 옛날에 살았던 생물의 몸체와 생물이 생활한 흔적이 아니라 사람이 만든 유물이기 때문에 화석이 아니야.

> 모래에 난 발자국은 옛것이 아니기 때문에 화석이 될 수 없어.

☑ 고인돌은 사람이 만든 유물이기 때문에 화석이 ❷(맞습 / 아닙)니다.

3 화석을 어떻게 구분할 수 있을까?

🌐 동물 화석

머리, 가슴, 꼬리의 세 부분으로 나눌 수 있음.

▲ 새 발자국 화석　　　▲ 삼엽충 화석　　　▲ 공룡알 화석　　　▲ 물고기 화석

오늘날에 살고 있는 생물과 비교하여 동물 화석과 식물 화석으로 구분해.

🌐 식물 화석

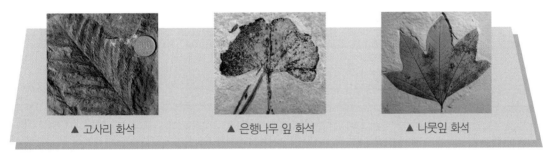

▲ 고사리 화석　　　▲ 은행나무 잎 화석　　　▲ 나뭇잎 화석

화석은 오늘날에 살고 있는 생물과 비교하여 동물 화석과 ③(식물 / 곤충) 화석으로 구분할 수 있습니다.

정답 ❶ 옛날 ❷ 아님 ❸ 식물

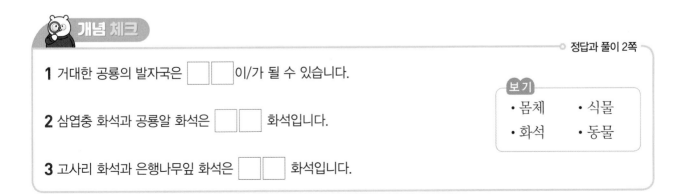

🐻 개념 체크

◇ 정답과 풀이 2쪽

1 거대한 공룡의 발자국은 ☐☐이/가 될 수 있습니다.

2 삼엽충 화석과 공룡알 화석은 ☐☐ 화석입니다.

3 고사리 화석과 은행나무잎 화석은 ☐☐ 화석입니다.

보기
· 몸체　· 식물
· 화석　· 동물

3일 개념 확인하기

1 다음 보기 에서 화석에 대한 설명으로 옳지 <u>않은</u> 것을 골라 기호를 쓰시오.

보기
㉠ 화석의 크기는 일정합니다.
㉡ 화석의 종류, 형태 등은 다양합니다.
㉢ 동물의 뼈는 화석이 될 수 있습니다.
㉣ 동물의 발자국이나 기어간 흔적은 화석이 될 수 있습니다.

(   )

2 다음은 화석을 관찰하고 이름과 특징을 정리한 것입니다. 빈칸에 들어갈 화석의 이름을 쓰시오.

모습	이름
	▢▢▢▢ 화석
	특징
	• 잎처럼 생겼음. • 머리, 가슴, 꼬리의 세 부분으로 나눌 수 있음.

(   )

3 다음 화석의 모습과 이름을 줄로 바르게 이으시오.

(1) 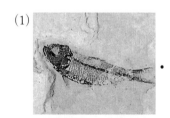   •

  • ㉠   공룡알 화석

(2)    •

  • ㉡   물고기 화석

4 다음 중 식물 화석이 <u>아닌</u> 것은 어느 것입니까? (   )

①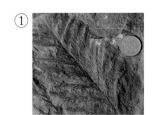
▲ 고사리 화석

②
▲ 나뭇잎 화석

③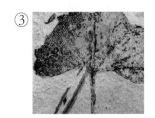
▲ 은행나무 잎 화석

④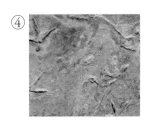
▲ 새 발자국 화석

5 다음 중 오른쪽의 고인돌이 화석이 <u>아닌</u> 까닭으로 옳은 것은 어느 것입니까? (   )

① 크기가 크기 때문이다.
② 사람이 만든 유물이기 때문이다.
③ 옛날에 살았던 동물의 뼈이기 때문이다.
④ 옛날에 살았던 생물의 몸체이기 때문이다.
⑤ 옛날에 살았던 생물이 생활한 흔적이기 때문이다.

똑똑한 하루 퀴즈

6 다음 □ 안에 들어갈 알맞은 낱말을 말 상자에서 찾아 모두 ○표를 하세요. 말 상자의 낱말은 가로, 세로, 대각선에 숨어 있어요.

유	☆	☆	식
물	잎	☆	물
☆	동	물	☆
화	석	☆	뼈

❶ 옛날에 살았던 생물의 몸체와 생활한 흔적이 남아 있는 것. □□
❷ 동물의 □, 식물의 □ 등도 화석이 될 수 있음.
❸ 화석은 □□ 화석과 식물 화석으로 구분할 수 있음.
❹ 고사리 화석은 □□ 화석임.
❺ 고인돌은 화석이 아니라 사람이 만든 □□임.

4일 화석의 이용

화석으로 옛날의 환경을 알 수 있다고?

용어 체크

삼엽충 화석

옛날에 살던 생물 화석으로, 삼엽충은 크게 머리, 가슴, 꼬리의 세 부분으로 나누어짐.

예 삼엽충 화석이 발견된 곳은 삼엽충이 살던 시기에 ❶[   ]였던 곳이다.

산호 화석

산호 화석을 통해 옛날에 살던 산호는 지금 산호와 비슷한 모양임을 알 수 있음.

예 산호 화석이 발견된 곳은 깊이가 얕고 따뜻한 ❷[   ]였음을 알 수 있다.

정답 ❶ 바다 ❷ 바다

 석탄과 석유도 화석이라고?

용어 체크

석탄
옛날에 식물 등이 땅에 묻힌 후 높은 열과 압력을 받아 만들어진 것으로, 불에 타기 쉬운 성질을 가진 암석

예 석탄도 ❶[   ]의 한 종류이다.

석유
검은 갈색을 띤 액체로 불에 타기 쉬운 성질을 가진 기름

예 석탄과 석유를 ❷[   ] 연료라고 한다.

▶ 실험 **동영상**

1 화석 모형과 실제 화석은 어떻게 다를까?

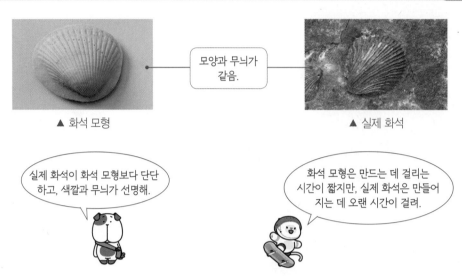

모양과 무늬가
같음.

▲ 화석 모형

▲ 실제 화석

실제 화석이 화석 모형보다 단단
하고, 색깔과 무늬가 선명해.

화석 모형은 만드는 데 걸리는
시간이 짧지만, 실제 화석은 만들어
지는 데 오랜 시간이 걸려.

☑️ 만들어지는 데 **오랜 시간이 걸리는** 것은 ➊(실제 화석 / 화석 모형)입니다.

2 화석은 어떻게 만들어질까?

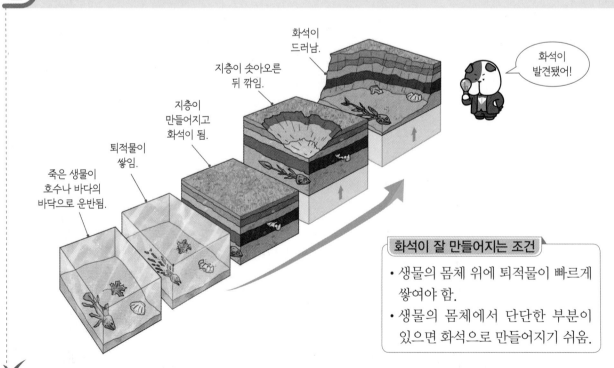

화석이
드러남.

지층이 솟아오른
뒤 깎임.

지층이
만들어지고
화석이 됨.

퇴적물이
쌓임.

죽은 생물이
호수나 바다의
바닥으로 운반됨.

화석이
발견됐어!

화석이 잘 만들어지는 조건

• 생물의 몸체 위에 퇴적물이 빠르게
쌓여야 함.
• 생물의 몸체에서 단단한 부분이
있으면 화석으로 만들어지기 쉬움.

☑️ 생물 위에 ➋(퇴적물 / 퇴적암)이 계속 쌓이면 지층이 만들어지고 그 속에 묻힌 생물이 화석이 됩니다.

3 화석은 어디에 이용될까?

삼엽충 화석이 발견된 곳은 당시에 바닷속이었다는 것을 알 수 있음.

▲ 삼엽충 화석

산호 화석이 발견된 곳은 깊이가 얕고 따뜻한 바다였음을 알 수 있음.

▲ 산호 화석

공룡이 살았던 시기에 쌓인 지층이라는 것을 알 수 있음.

▲ 공룡 발자국 화석

화석은 연료로도 이용된다는 것을 알 수 있음.

석탄

석유

▲ 석탄 / 석유

고사리가 살던 곳은 기온이 따뜻하고 습기가 많은 곳이었음을 알 수 있음.

▲ 고사리 화석

화석의 이용

• 지층이 쌓인 시기를 알 수 있음.
• 옛날에 살았던 생물의 생김새와 생활 모습, 그 지역의 환경을 짐작할 수 있음.

☑ 화석을 이용해 옛날에 살았던 생물의 ❸(수 / 생김새), 생물이 살았던 환경 등을 알 수 있습니다.

정답 ❶ 실제 화석 ❷ 퇴적물 ❸ 생김새

개념 체크

◦ 정답과 풀이 2쪽

1 화석이 잘 만들어지기 위해서는 생물의 몸체 위에 퇴적물이 ☐☐☐ 쌓여야 합니다.

2 산호 화석이 발견된 곳은 옛날에 ☐☐였음을 알 수 있습니다.

3 화석을 통해 지층이 쌓인 ☐☐를 알 수 있습니다.

보 기
• 두께   • 시기
• 바다   • 육지
• 천천히 • 빠르게

1 다음 보기에서 화석 모형과 실제 화석에 대한 설명으로 옳지 <u>않은</u> 것의 기호를 쓰시오.

> **보기**
> ㉠ 실제 화석이 화석 모형보다 더 단단합니다.
> ㉡ 화석 모형과 실제 화석은 모양, 무늬가 전혀 다릅니다.
> ㉢ 실제 화석이 화석 모형보다 색깔과 무늬가 선명합니다.

( )

2 다음의 화석 모형과 실제 화석 중에서 만들어지는 데 더 오랜 시간이 걸리는 것을 쓰시오.

▲ 화석 모형

▲ 실제 화석

( )

3 다음은 산호 화석에 대한 설명입니다. □ 안에 들어갈 알맞은 말을 쓰시오.

> 산호 화석을 통해 산호 화석이 발견된 곳은 깊이가 얕고 □ 바다였음을 알 수 있습니다.

( )

4 다음 중 오른쪽의 공룡 발자국 화석을 통해 알 수 있는 점으로 옳은 것은 어느 것입니까? ( )

▲ 공룡 발자국 화석

① 공룡의 몸무게를 정확히 알 수 있다.
② 공룡의 생김새를 정확히 알 수 있다.
③ 공룡의 피부색을 정확히 알 수 있다.
④ 공룡의 먹이가 무엇이었는지 알 수 있다.
⑤ 지층이 쌓인 시기가 공룡이 살던 때라는 것을 알 수 있다.

5 다음 중 연료로 이용되는 화석을 골라 기호를 쓰시오.

▲ 석탄

▲ 고사리 화석

▲ 삼엽충 화석

(   )

집중 **연습 문제** **화석이 만들어져 발견되는 과정**

6 다음 화석이 만들어져 발견되는 과정 중 더 나중에 일어나는 과정을 골라 기호를 쓰시오.

ㄱ

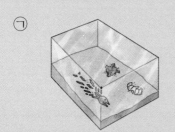

▲ 죽은 생물 위에 퇴적물이 두껍게 쌓임.

ㄴ

▲ 퇴적물이 계속 쌓여 지층이 만들어지고 그 속에 묻힌 생물이 화석이 됨.

(   )

죽은 생물 위에 무엇이 계속 쌓여야 화석이 되는지를 생각해 봐.

7 다음 보기 에서 화석이 잘 만들어지는 조건으로 옳은 것을 골라 기호를 쓰시오.

보기

ㄱ 오늘날까지 살고 있는 생물이어야 합니다.
ㄴ 생물의 몸에 단단한 부분이 없어야 합니다.
ㄷ 생물의 몸체 위에 퇴적물이 빠르게 쌓여야 합니다.

(   )

퇴적물이 쌓이는 빠르기, 생물의 몸체와 관련된 내용을 생각해 봐.

1 지층

① **지층** : 자갈, 모래, 진흙 등으로 이루어진 암석들이 층을 이루고 있는 것

지층에는 공통적으로 줄무늬가 있어.

② **지층의 모양**

지층	수평인 지층	끊어진 지층	휘어진 지층
모습			
특징	층이 수평으로 쌓여 있음.	층이 끊어져 어긋나 있음.	층이 구부러져 있음.

③ **지층이 만들어지는 과정** : 물이 운반한 자갈, 모래, 진흙 등이 쌓인 뒤에 오랜 시간을 거쳐 단단하게 굳어져 만들어집니다.

2 퇴적암

① **퇴적암** : 물이 운반한 자갈, 모래, 진흙 등의 퇴적물이 굳어져 만들어진 암석

② **퇴적암의 분류**

퇴적암이 만들어지는 데에는 오랜 시간이 걸려.

퇴적암	이암	사암	역암
모습			
특징	진흙과 같이 작은 알갱이로 되어 있음.	주로 모래로 되어 있음.	주로 자갈, 모래 등으로 되어 있음.

3 화석

① **화석** : 옛날에 살았던 생물의 몸체와 생물이 생활한 흔적이 남아 있는 것

② **화석의 구분**

동물 화석	삼엽충 화석, 물고기 화석, 새 발자국 화석, 공룡알 화석 등
식물 화석	고사리 화석, 나뭇잎 화석 등

4 화석의 이용

① 화석이 잘 만들어지는 조건

- 생물의 몸체 위에 퇴적물이 빠르게 쌓여야 합니다.
- 생물의 몸체에서 단단한 부분이 있으면 화석으로 만들어지기 쉽습니다.

② 화석을 통하여 알 수 있는 것

어느 지역에서 고사리 화석이 발견됐다면 그곳은 옛날에 따뜻하고 습기가 많은 곳이었을 거야.

삼엽충 화석		• 옛날에 살았던 삼엽충의 생김새를 알 수 있음. • 삼엽충 화석이 발견된 곳은 당시에 바닷속이었다는 것을 알 수 있음.
산호 화석		• 지금 산호의 생김새와 비슷하다는 것을 알 수 있음. • 산호 화석이 발견된 곳은 깊이가 얕고 따뜻한 바다였음을 알 수 있음.
공룡 발자국 화석		• 옛날에 살았던 공룡에 대한 것을 알 수 있음. • 공룡이 살았던 시기에 쌓인 지층이라는 것을 알 수 있음.
석탄과 석유	석탄 석유	화석은 연료로도 이용된다는 것을 알 수 있음.

하루 칼럼

화석은 어떤 가치가 있을까요?

화석을 통해 옛날에 살았던 생물의 크기, 종류, 모양 등에 대한 자료를 얻을 수 있습니다.

특정한 생물 화석은 특정한 시대에만 발견되므로 화석을 통해 시대와 환경을 알 수 있습니다.

또한 화석은 지하 자원 탐사에 도움을 줍니다. 석유, 석탄 등은 많은 양의 생물체가 죽은 뒤에 쌓여서 만들어진 것으로, 화석을 통해 지층의 시대와 환경을 알면 화석 연료가 묻혀 있는지를 판단할 수 있습니다.

▲ 공룡 발자국 화석

5일 1주 마무리하기 문제

1일 지층

1 다음에서 설명하는 것은 무엇인지 쓰시오.

> 자갈, 모래, 진흙 등으로 이루어진 암석들이 층을 이루고 있는 것입니다.

(   )

2 다음 지층 중 끊어진 지층을 골라 기호를 쓰시오.

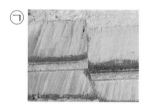 ㉠    ㉡    ㉢

(   )

3 오른쪽에서 가장 먼저 만들어진 층을 골라 기호를 쓰시오.

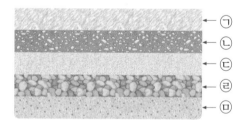

㉠ ← ㉠
㉡ ← ㉡
㉢ ← ㉢
㉣ ← ㉣
㉤ ← ㉤

(   )

서술형

4 다음은 오른쪽과 같이 지층에 줄무늬가 나타나는 까닭에 대한 설명입니다. 밑줄 친 부분에 알맞은 말을 쓰시오.

지층에 줄무늬가 나타나는 까닭은 _____

_____ 때문입니다.

2일 퇴적암

5 다음 중 물이 운반한 자갈, 모래, 진흙 등의 퇴적물이 굳어져 만들어진 암석을 무엇이라고 합니까? (   )

① 변성암   ② 화강암   ③ 퇴적암

④ 현무암   ⑤ 화성암

6 다음 설명에 해당하는 암석은 어느 것입니까? (   )

• 손으로 만지면 부드럽고 매끄러운 느낌이 듭니다.
• 진흙, 갯벌의 흙과 같이 작은 알갱이로 되어 있는 암석입니다.

① 사암   ② 역암   ③ 이암

④ 화강암   ⑤ 현무암

7 다음 퇴적암이 만들어지는 과정 중 가장 먼저 일어나는 것은 어느 것입니까? (   )

▲ 물, 햇빛, 바람 등에 의해 암석이 부서짐.

▲ 이런 과정이 오랫동안 반복되면 퇴적암이 만들어짐.

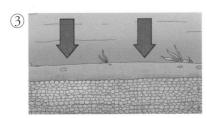
▲ 퇴적물이 계속 쌓여 눌리면서 부피가 줄고 서로 단단하게 붙음.

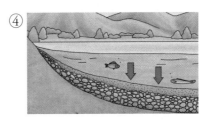
▲ 물에 의해 퇴적물이 운반되어 강이나 바다에 쌓임.

3일 화석

8 옛날에 살았던 생물의 몸체와 생물이 생활한 흔적이 암석이나 지층 속에 남아 있는 것을 무엇이라고 합니까? (　　　　)

① 지진 ② 지층 ③ 화산

④ 화석 ⑤ 퇴적암

9 다음은 화석에 대한 설명입니다. □ 안에 들어갈 알맞은 말을 쓰시오.

> 화석은 종류, 형태, 크기 등이 다양합니다. 오늘날에 살고 있는 생물과 비교하여 □□□ 화석과 식물 화석으로 구분할 수 있습니다.

(　　　　　　　　)

10 다음 중 화석이 <u>아닌</u> 것을 골라 기호를 쓰시오.

ㄱ

▲ 고인돌

ㄴ
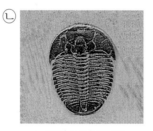
▲ 지층 속에 남아 있는 삼엽충의 흔적

ㄷ
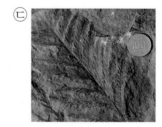
▲ 지층 속에 남아 있는 고사리의 흔적

(　　　　　　　　)

4일 화석의 이용

11 다음 중 만들어지는 데 더 짧은 시간이 걸리는 것을 골라 기호를 쓰시오.

ㄱ

▲ 화석 모형

ㄴ

▲ 실제 화석

(　　　　　　　　)

12 다음 중 화석에 대한 설명으로 옳지 <u>않은</u> 것은 어느 것입니까? (   )

① 화석은 주로 퇴적암에서 발견된다.

② 죽은 생물 위로 퇴적물이 두껍게 쌓여야 한다.

③ 지층이 높게 솟아오른 뒤 깎이면 화석이 드러난다.

④ 생물의 몸체 위에 퇴적물이 쌓이지 않아야 화석이 발견될 수 있다.

⑤ 생물의 몸체에서 단단한 부분이 있으면 화석으로 만들어지기 쉽다.

13 다음 중 지층이 쌓인 지역이 따뜻하고 습기가 많은 곳이었음을 알 수 있는 화석을 골라 기호를 쓰시오.

㉠

▲ 고사리 화석

㉡

▲ 공룡 발자국 화석

(   )

14 다음 십자말풀이를 해 보세요.

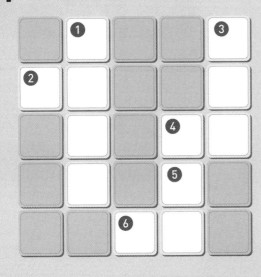

➡**가로**

❷ 고사리 화석은 □□ 화석임.

❹ 고인돌은 화석이 아니라 사람이 만든 □□임.

❻ 진흙과 같은 작은 알갱이로 되어 있는 암석

⬇**세로**

❶ 화석은 □□ □□과 식물 화석으로 나눌 수 있음.

❸ □□□이 굳어지면 퇴적암이 만들어짐.

❺ 주로 모래로 되어 있는 암석

누구나 **100점** **TEST**

1 다음 중 지층에 대한 설명으로 옳지 <u>않은</u> 것은 어느 것입니까? ( )

① 줄무늬가 있다.

② 각 층의 두께가 다르다.

③ 각 층의 색깔이 다르다.

④ 한 개의 층으로 되어 있다.

⑤ 자갈, 모래, 진흙 등으로 이루어진 암석들이 층을 이루고 있는 것이다.

2 다음 중 층이 끊어져 어긋나 있고, 같은 두께와 색깔의 층이 연결되어 있지 않은 지층을 골라 기호를 쓰시오.

( )

3 다음은 지층에 대한 설명입니다. ( ) 안의 알맞은 말에 ○표를 하시오.

지층에 줄무늬가 나타나는 까닭은 지층의 알갱이 크기와 색깔이 서로 (같기 / 다르기) 때문입니다.

4 다음 이암, 사암, 역암의 뜻을 줄로 바르게 이으시오.

(1) 이암 • • ㉠ 주로 모래가 굳어져 만들어진 암석

(2) 사암 • • ㉡ 진흙, 갯벌의 흙과 같이 작은 알갱이로 되어 있는 암석

(3) 역암 • • ㉢ 주로 자갈, 모래 등이 섞여 굳어져 만들어진 암석

5 다음은 퇴적암이 만들어지는 과정입니다. ㉠, ㉡에 들어갈 알맞은 말을 각각 쓰시오.

▲ 물, 햇빛, 바람 등에 의해 암석이 부서짐.

▲ 물에 의해 ㉠ 이/가 운반되어 강이나 바다에 쌓임.

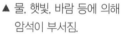

▲ 퇴적물이 계속 쌓여 눌리면서 부피가 줄고 서로 단단하게 붙음.

▲ 이런 과정이 오랫동안 반복되면 ㉡ 이/가 만들어짐.

㉠ ( )

㉡ ( )

6 다음 보기 에서 화석에 대한 설명으로 옳은 것을 바르게 짝지은 것은 어느 것입니까? (　　　)

보기

㉠ 화석은 종류, 형태 등이 다양합니다.
㉡ 크기가 작은 것은 화석이 될 수 없습니다.
㉢ 동물이 기어간 흔적은 화석이 될 수 없습니다.
㉣ 옛날에 살았던 생물의 몸체와 흔적이 암석이나 지층 속에 남아 있는 것입니다.

① ㉠, ㉡　　　　　② ㉠, ㉢
③ ㉠, ㉣　　　　　④ ㉡, ㉢
⑤ ㉢, ㉣

7 다음 중 동물 화석이 <u>아닌</u> 것은 어느 것입니까?
(　　　)

①
▲ 공룡알 화석

②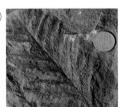
▲ 고사리 화석

③
▲ 물고기 화석

④
▲ 삼엽충 화석

⑤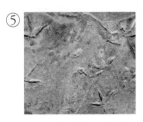
▲ 새 발자국 화석

8 다음은 화석이 잘 만들어지기 위한 조건에 대한 설명입니다. □ 안에 들어갈 알맞은 말을 쓰시오.

생물의 몸체에서 □□□ 부분이 있으면 화석으로 만들어지기 쉽습니다.

(　　　　　　　　　)

9 어느 지역에서 삼엽충 화석이 발견되었다면, 그 지역의 옛날 환경으로 옳은 것은 다음 중 어느 것입니까? (　　　)

① 땅속　　　　　② 빙하
③ 사막　　　　　④ 바닷속
⑤ 높은 산 위

10 다음 중 산호 화석을 통해 알 수 있는 점으로 옳은 것은 어느 것입니까? (　　　)

① 화석이 연료로도 이용된다는 것을 알 수 있다.
② 화석이 두꺼운 얼음 속에서 발견되었음을 알 수 있다.
③ 화석이 된 생물이 살던 시기의 정확한 기온을 알 수 있다.
④ 화석이 발견된 곳이 깊이가 얕고 따뜻한 바다였음을 알 수 있다.
⑤ 화석이 발견된 지층이 공룡이 살았던 시기에 쌓인 지층이라는 것을 알 수 있다.

생활 속 과학

박물관의 안내 책자를 통해 지층, 퇴적암, 화석에 대해 알아봅니다.

우리 주변에서 지층, 퇴적암, 화석을 볼 수 있는 곳

20○○.○○.○○

○○ 지역에서 화석 발견!

안녕하십니까, 천재 TV 오늘의 하루 뉴스 시간입니다.

우리나라 ○○지역에서 화석이 발견되어 학계의 주목을 받고 있습니다. 이번에 발견된 화석은 공룡 발자국 화석으로 확인되었으며, 공룡이 걸어간 흔적이 비교적 잘 남아 있는 것으로 평가되고 있습니다.

화석 발굴에 참여한 △△△ 연구원은 5년 전 발견된 공룡뼈 화석과 지난해에 발견된 공룡알 화석과 더불어 이번 화석의 발견으로 한반도에 공룡이 살았던 것을 밝히는 데 많은 도움이 될 것이라고 말했습니다.

이상 오늘의 하루 뉴스를 마치겠습니다. 감사합니다.

◦ 정답과 풀이 4쪽

1 다음은 ○○ 자연사 박물관의 안내 책자예요. 안내 책자에 우유를 쏟아 보이지 않게 된 부분에 들어갈 알맞은 말을 각각 쓰세요.

안녕하세요. 이곳은 자연의 역사에 관한 자료를 수집하고 전시하는 ○○ 자연사 박물관입니다.

1층에는 자갈, 모래, 진흙 등으로 이루어진 암석들이 층을 이루고 있는 ❶⬭에 관한 자료가 전시되어 있습니다.

2층에는 물이 운반한 자갈, 모래, 진흙 등의 퇴적물이 굳어져 만들어진 ❷⬭을/를 전시해 놓았습니다.

3층에는 아주 오랜 옛날에 살았던 생물의 몸체와 생물이 생활한 흔적이 남아 있는 ❸⬭에 대한 자료가 전시되어 있습니다.

즐겁게 관람하세요.

❶ (   ) ❷ (   ) ❸ (   )

창의·융합·코딩

사고 쑥쑥

바닷가 그림을 보고 지층, 퇴적암, 화석의 특징을 알아봅니다.

2 다음은 바닷가에서 볼 수 있는 지층, 퇴적암, 화석의 모습이에요. 아래 설명에 해당하는 것을 찾아 이름을 각각 쓰세요.

자갈, 모래, 진흙 등으로 이루어진 층이 끊어져 어긋나 있음.	자갈, 모래, 진흙 등의 퇴적물이 굳어져 만들어진 암석	옛날에 살았던 생물의 몸체나 흔적이 남아 있는 화석으로, 식물 화석임.
❶	**❷**	**❸**

동굴로 들어가는 길을 찾으며 지층과 화석과 관계있는 각 용어의 뜻을 알아봅니다.

3 다음에서 친구가 안내판에 적힌 설명에 따라 돌을 순서대로 밟아 동굴에 들어가려고 해요. 설명을 읽고 돌을 밟아야 하는 순서대로 바르게 쓰세요.

첫 번째 돌
퇴적물이 굳어져 만들어진 암석

두 번째 돌
진흙과 같이 작은 알갱이로 되어 있는 암석

세 번째 돌
옛날에 살았던 생물의 몸체나 생물이 생활한 흔적이 남아 있는 것

지층   화석   역암   이암   사암   퇴적암   화성암

○ ○ ○ ➔ ○ ○ ➔ ○ ○

논리 탄탄

 문제를 풀며 지층의 특징에 대해 알아봅니다.

4 다음을 보고 칸을 지날 때마다 지층에 대한 내용이 옳은 것에는 더하기 2, 옳지 <u>않은</u> 것에는 빼기 1을 하여 도착했을 때 나오는 숫자를 계산하여 쓰세요.

계산한 숫자

각 물음에 답하면서 화석과 화석이 아닌 것을 기준에 따라 분류합니다.

5 다음을 기준에 따라 분류하려고 해요. (가)에 알맞은 것을 쓰세요.

ㄱ ▲ 고사리 화석

ㄴ ▲ 조개 화석

ㄷ ▲ 고인돌

ㄹ ▲ 공룡 발자국 화석

ㅁ ▲ 공룡알 화석

ㅂ ▲ 낙엽

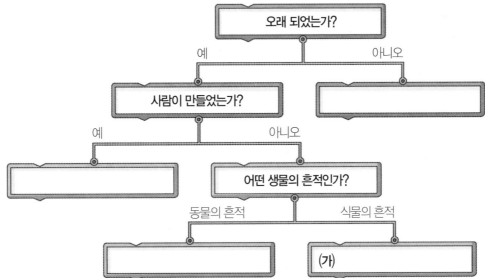

벚꽃 예쁘다.

활짝 피었네.

꽃이 피었으니까 이제 꽃이 지고 나면 열매를 맺겠다.

예쁜데…….
계속 피어 있으면 안 되나.

식물은 씨를 만들기 위해서 꽃이 피고 열매를 맺어.

씨는 왜 만드는 건데?

동물이 알이나 새끼를 낳아 번식하듯이 식물은 씨를 맺어 번식하거든.

아하! 그럼 열매는 아기를 품고 있는 엄마와 같은 거네?

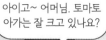

아이고~ 어머님. 토마토 아가는 잘 크고 있나요?

물

▲ 물을 주어 싹이 튼 강낭콩

씨의 싹 트기

식물이 자라면 꽃이 피고 열매를 맺어.

▲ 잘 자란 식물

식물의 자람

빛, 온도, 물

식물의 한살이

한해살이 식물

벼

여러해살이 식물

감나무

식물은 한살이 기간에 따라 한해살이 식물과 여러해살이 식물로 나눌 수 있어.

식물에 따라 한살이 과정이 다르지만 모두 씨를 맺어 번식한다는 것을 꼭 기억해!

이번 주에는 무엇을 공부할까? ❷

식물의 한살이

내 안에는 씨가 자라고 있어.

뜻 식물의 씨가 싹 터서 자라며, 꽃이 피고 열매를 맺어 다시 씨가 만들어지는 과정

예 식물의 한살이를 알아보려면 가장 먼저 관찰 계획을 세워야 해요.

떡잎

내가 잎 중에서는 가장 먼저 나와.

뜻 씨에서 싹이 트면서 가장 처음으로 나오는 잎

예 작은 봉숭아씨에서 뿌리가 나고 **떡잎**이 나오는 모습이 무척 신기해요.

씨가 싹 트려면 적당한 양의 물과 적당한 온도가 필요해.

본잎

본잎 나가신다!

뜻 떡잎이 나온 뒤에 나오는 보통의 잎

예 강낭콩은 싹이 트고 **본잎**이 자라면서 떡잎에 있는 양분이 사용되면 떡잎은 시들어 떨어져요.

떡잎싸개

나는 떡잎싸개야.

뜻 옥수수, 벼 등의 씨가 싹 틀 때 뿌리가 나온 뒤에 씨 밖으로 나오는 부분

예 **떡잎싸개**는 본잎을 둘러싸고 있어 본잎을 보호하면서 자라요.

식물의 한살이와 관련된 용어 중 한해살이 식물과 여러해살이 식물 등의 용어와 개념을 꼭 기억해!

번 식

번식하기 위해 씨 출동!

繁 殖
번성할 번 불릴 식

뜻 어떤 생물의 수가 늘어나서 많이 퍼짐.

예 논에 잡초가 재빠르게 **번식**하고 있어요.
지저분한 곳에서는 세균이 쉽게 **번식**해요.

동물은 새끼나 알을 낳아 번식하지만 식물은 열매를 맺어 씨를 만들어 번식해.

한해살이 식물

난 한 해만 살아.

해바라기

뜻 한 해 동안 한살이를 거치고 일생을 마치는 식물

예 해바라기는 높이가 매우 크지만 한 해만 사는 **한해살이** 식물이에요.

여러해살이 식물

난 여러 해 동안 살지.

사과나무

뜻 여러 해 동안 살면서 한살이의 일부를 반복하는 식물

예 사과나무는 **여러해살이** 식물이어서 겨울에도 죽지 않고 이듬해 봄이 되면 새순이 나와요.

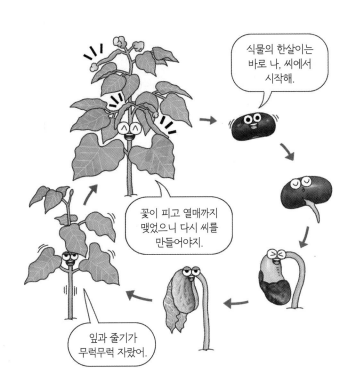

식물의 한살이는 바로 나, 씨에서 시작해.

꽃이 피고 열매까지 맺었으니 다시 씨를 만들어야지.

잎과 줄기가 무럭무럭 자랐어.

1일 식물의 한살이 관찰 계획

정답 ❶ 한살이

 식물의 한살이를 통해 씨를 얻어야 해!

🐻 **용어 체크**

📍 **식물의 한살이**

식물의 씨가 싹 터서 자라며, 꽃이 피고 열매를 맺어 다시 씨가 만들어지는 과정

예 식물의 [❶]를 알아보려면 씨가 싹 트는 모습, 잎, 줄기, 꽃, 열매가 자라는 모습 등을 꾸준히 관찰해야 한다.

▲ 봉숭아씨가 싹 튼 모습

정답 ❶ 한살이

🐰 거름흙을 넣어야 식물이 잘 자라.

🐼 용어 체크

📍 **거름흙**

식물이 잘 자랄 수 있는 기름진 흙

예 친구와 나는 화분에 ❶ [   ]을 넣고 강낭콩을 심었다.

정답 ❶ 거름흙

1 여러 가지 씨의 공통점과 차이점은 무엇일까?

공통점

> 우리는 모두 단단하고 껍질이 있어.

차이점

> 하지만 씨에 따라 모양, 색깔, 크기 등의 생김새가 달라.

☑ 여러 가지 씨는 ❶(무르고 / **단단하고**) 껍질이 있다는 공통점이 있습니다.

2 식물의 한살이 관찰에 적합한 식물은 무엇일까?

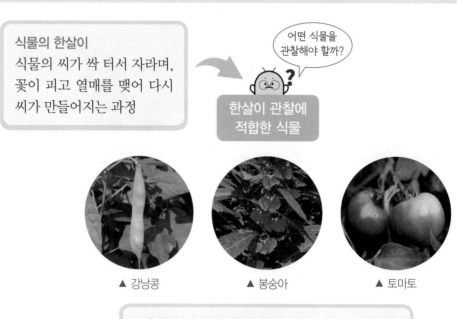

> **식물의 한살이**
> 식물의 씨가 싹 터서 자라며, 꽃이 피고 열매를 맺어 다시 씨가 만들어지는 과정

> 어떤 식물을 관찰해야 할까?

한살이 관찰에 적합한 식물

▲ 강낭콩　　▲ 봉숭아　　▲ 토마토

- 한살이 기간이 짧아야 함.
- 잎, 줄기, 꽃, 열매 등을 관찰하기 쉬워야 함.

☑ 식물의 **한살이 기간**이 ❷(긴 / **짧은**) 식물이 한살이 관찰에 적합합니다.

3 씨를 심고 식물의 한살이를 관찰해 볼까?

씨를 심는 방법

씨 크기의 두세 배 깊이로 심어야 해.

작은 돌

화분 바닥에 있는
물 빠짐 구멍 막기

화분에 거름흙을
$\frac{3}{4}$ 정도 넣기

씨

씨를 심고, 흙 덮기

팻말을 꽂아 햇빛이
비치는 곳에 놓아두기

물 충분히 주기

씨를 심고 관찰해야 할 것

씨가 싹 트고 잎과
줄기가 자라는 모습

꽃이 피고 열매가
자라는 모습

☑ 화분에 씨를 심을 때에는 씨 크기의 ❸(두세 / 열) 배 깊이로 심어야 합니다.

정답 ❶ 단단하고 ❷ 짧은 ❸ 두세

🐼 **개념 체크**

◦ 정답과 풀이 5쪽

1 여러 가지 씨는 모두 [ ][ ]합니다.

2 식물의 씨가 싹 터서 자라며, 꽃이 피고 열매를 맺어 다시 씨가 만들어지는 과정을
식물의 [ ][ ][ ](이)라고 합니다.

3 화분에 씨를 심고 흙으로 덮은 뒤에는 [ ]을/를 충분히 줘야 합니다.

보기
• 물   • 흙
• 물렁   • 단단
• 한살이   • 짝짓기

1 오른쪽은 여러 가지 씨의 모습입니다. 각 씨의 생김새는 같은지, 다른지 쓰시오.

호두   봉숭아씨

강낭콩   사과씨

(   )

2 다음 중 여러 가지 씨의 공통점으로 옳은 것은 어느 것입니까? (   )

① 갈색을 띤다.

② 둥근 모양이다.

③ 단단하고 껍질이 있다.

④ 검은색 줄무늬가 있다.

⑤ 주먹보다 크기가 크다.

3 다음은 식물의 한살이에 대한 설명입니다. ☐ 안에 들어갈 알맞은 말을 쓰시오.

> 식물의 씨가 싹 터서 자라며, ☐ 이/가 피고 열매를 맺어 다시 씨가 만들어지는 과정을 식물의 한살이라고 합니다.

(   )

4 다음 중 한살이를 관찰하기에 적합한 식물을 골라 기호를 쓰시오.

㉠

▲ 한살이 기간이 긴 사과나무

㉡

▲ 한살이 기간이 짧은 봉숭아

(   )

5 다음 중 화분에 씨를 심을 때 가장 먼저 해야 할 일은 어느 것입니까? (   )

① 물을 준다.

② 씨를 심는다.

③ 팻말을 꽂는다.

④ 거름흙을 넣는다.

⑤ 물 빠짐 구멍을 막는다.

6 다음 중 화분에 씨를 가장 알맞은 깊이로 심은 친구의 이름을 쓰시오.

▲ 상훈

▲ 지연

▲ 찬영

(   )

똑똑한 하루 퀴즈

7 다음 □ 안에 들어갈 알맞은 낱말을 말 상자에서 찾아 모두 ○표를 하세요. 말 상자의 낱말은 가로, 세로, 대각선에 숨어 있어요.

한	성	궁	덕
모	살	★	거
두	★	이	름
껍	질	정	흙
청	감	★	토

❶ 여러 가지 씨는 단단하고 □□이 있다는 공통점이 있음.

❷ 식물의 한살이를 관찰할 때에는 □□□ 기간이 짧은 것을 선택해야 함.

❸ 화분 바닥의 물 빠짐 구멍을 막은 뒤에는 □□□을 넣어야 함.

2_일 씨의 싹 트기

떡잎이 먼저, 본잎이 나중에 나와!

용어 체크

○ 떡잎
씨에서 싹이 트면서 가장 처음으로 나오는 잎
예 봉숭아씨의 싹이 터서 땅 위로 ❶ ☐ 두 장이 나왔다.

○ 본잎
떡잎이 나온 뒤에 나오는 보통의 잎
예 강낭콩의 떡잎 두 장 사이로 ❷ ☐ 이 나왔다.

정답 ❶ 떡잎 ❷ 본잎

떡잎싸개가 나왔으니까 댕이를 이길 수 있겠지?

용어 체크

떡잎싸개

옥수수, 벼 등의 씨가 싹 틀 때 뿌리가 나온 뒤에 씨 밖으로 나오는 부분

예 씨가 싹 틀 때 봉숭아는 뿌리가 나온 다음 떡잎이 나오고, 벼는 뿌리가 나온 다음 ❶ [   ] 가 나온다.

▲ 벼의 떡잎싸개

정답 ❶ 떡잎싸개

실험 동영상

1 씨가 싹 트는 데 필요한 조건은 무엇일까?

🧪 씨가 싹 트는 데 물이 미치는 영향 알아보기

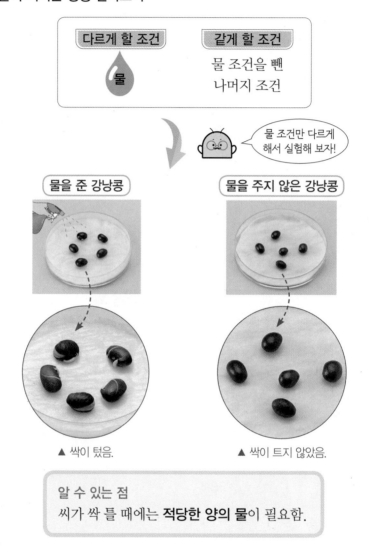

다르게 할 조건	같게 할 조건
물	물 조건을 뺀 나머지 조건

물 조건만 다르게 해서 실험해 보자!

물을 준 강낭콩 / 물을 주지 않은 강낭콩

▲ 싹이 텄음.   ▲ 싹이 트지 않았음.

알 수 있는 점
씨가 싹 틀 때에는 **적당한 양의 물**이 필요함.

🧪 씨가 싹 트는 데 필요한 다른 조건

⭕ 적당한 온도

씨가 싹 트려면 적당한 온도도 필요해.

❌ 빛

일반적으로 씨가 싹 트는 데 빛은 필요하지 않아.

☑ 씨가 싹 틀 때에는 적당한 양의 물과 적당한 ❶(온도 / 빛)이/가 꼭 필요합니다.

2 강낭콩이 싹 터서 자라는 과정을 알아볼까?

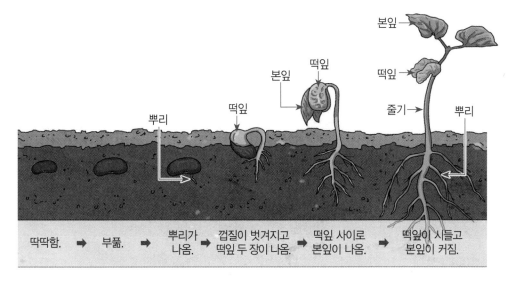

딱딱함. → 부풂. → 뿌리가 나옴. → 껍질이 벗겨지고 떡잎 두 장이 나옴. → 떡잎 사이로 본잎이 나옴. → 떡잎이 시들고 본잎이 커짐.

☑ 강낭콩이 싹 틀 때에는 ❷(뿌리 / 떡잎)이/가 가장 먼저 나옵니다.

3 옥수수가 싹 터서 자라는 과정을 알아볼까?

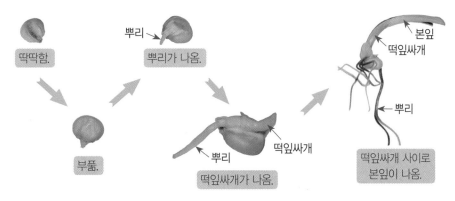

딱딱함.

부풂.

뿌리가 나옴.

뿌리
떡잎싸개
떡잎싸개가 나옴.

본잎
떡잎싸개
뿌리
떡잎싸개 사이로 본잎이 나옴.

☑ 옥수수가 싹 틀 때에는 뿌리가 나온 뒤에 ❸(떡잎 / 떡잎싸개)이/가 나옵니다.

정답 ❶ 온도 ❷ 뿌리 ❸ 떡잎싸개

개념 체크

○ 정답과 풀이 5쪽

1 씨가 싹 틀 때에는 적당한 양의 ▢이/가 필요합니다.

2 강낭콩이 싹 틀 때에는 뿌리가 나온 뒤에 두 장의 ▢▢이/가 나옵니다.

3 옥수수가 싹 틀 때에는 가장 먼저 ▢▢이/가 나옵니다.

보기
• 빛   • 물
• 뿌리   • 떡잎
• 본잎   • 줄기

개념 확인하기

○ 정답과 풀이 5쪽

1 다음 중 씨가 싹 트는 데 물이 미치는 영향을 알아볼 때 다르게 할 조건은 어느 것입니까?

( )

① 빛   ② 물   ③ 온도
④ 공기   ⑤ 씨의 종류

2 다음과 같이 물 조건만 다르게 하고 관찰했을 때 씨가 싹 트는 것의 기호를 쓰시오.

ㄱ
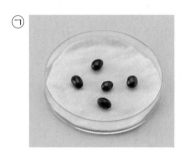
▲ 물을 주지 않은 강낭콩

ㄴ

▲ 물을 준 강낭콩

( )

3 다음을 읽고 씨가 싹 트는 데 필요한 조건에 대한 설명으로 옳은 것에는 ○표, 옳지 않은 것에는 ×표를 하시오.

(1) 냉장고 안에 넣어 둔 씨는 싹이 틉니다. ( )
(2) 온도는 씨가 싹 트는 데 영향을 미칩니다. ( )
(3) 씨가 싹 트는 데에는 적당한 양의 물이 필요합니다. ( )

4 다음 중 옥수수가 싹 터서 자라는 과정에서 가장 먼저 볼 수 있는 모습은 어느 것입니까?

( )

① 본잎이 나온다.   ② 뿌리가 나온다.
③ 떡잎이 나온다.   ④ 떡잎싸개가 나온다.
⑤ 딱딱했던 씨가 부푼다.

5 오른쪽의 옥수수가 싹 터서 자란 모습에서 떡잎싸개를 골라 기호를 쓰시오.

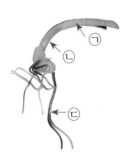

(   )

😊 집중 **연습 문제** **강낭콩이 싹 터서 자라는 과정**

6 다음 중 강낭콩이 싹 터서 자라는 과정에서 볼 수 <u>없는</u> 것은 어느 것입니까? (   )

① 뿌리   ② 떡잎   ③ 줄기
④ 본잎   ⑤ 떡잎싸개

> 씨가 싹 틀 때 강낭콩은 떡잎이 나와.

7 오른쪽은 강낭콩이 싹 터서 자라는 과정에서 볼 수 있는 모습입니다. 씨 밖으로 나온 (개)는 무엇인지 쓰시오.

(   )

> 강낭콩 속에는 뿌리, 줄기, 잎이 될 부분이 들어 있어.

8 다음 보기 에서 강낭콩이 싹 터서 자랄 때 위 **7**번 답이 나온 바로 뒤에 볼 수 있는 모습을 골라 기호를 쓰시오.

> 강낭콩이 싹 틀 때 본잎, 뿌리, 떡잎이 나오는 순서 대로 써 볼까?

보기

ㄱ 떡잎이 나옵니다.   ㄴ 본잎이 나옵니다.
ㄷ 뿌리가 시듭니다.   ㄹ 떡잎이 시듭니다.

(   )

○ ○ ➡ ○ ○
➡ ○ ○

3일 식물의 자람

 강낭콩 꼬투리가 터져서 나오는 게 뭐야?

꼬투리

강낭콩, 완두콩 등의 꽃이 지고 나면 생기는 열매

예 강낭콩의 ❶ ☐☐☐☐ 하나 속에는 보통 씨가 네다섯 개 들어 있다.

▲ 강낭콩 꼬투리와 씨

정답 ❶ 꼬투리

 ### 강낭콩의 씨로 몬스터를 막아라!

2주

후 두둑

갑자기 씨를 떨어뜨리는 이유가 뭐야?

그건 **번식**을 하기 위해서야!

쿵 쿵

번식이라고?

식물은 한살이를 거쳐 씨를 만든 후에 씨를 퍼트려야 수를 많이 늘려 번식할 수 있거든.

좋은 생각이 있어. 거인들을 이곳까지 유인해줘!

크아앙

떨어져라!

후 두둑

크헉!

끄아이

끄악

하하

봤지! 나의 용맹함을!

거인들이 더 내려오기 전에 잘라야 해!

와~ 잔머리 대왕!

 용어 체크

번식

어떤 생물의 수가 늘어나서 많이 퍼짐.

예 봉숭아는 씨를 만들어서 ❶ [   ] 한다.

▲ 씨로 번식하는 봉숭아

정답 ❶ 번식

1 식물이 자라는 데 필요한 조건은 무엇일까?

이 중 하나라도 부족하면 식물이 잘 자랄 수 없어.

식물이 자라는 데 필요한 조건
빛, 적당한 양의 물, 적당한 온도 등

빛

빛을 받아야 함.

물

적당한 양의 물이 필요함.

온도

온도가 적당해야 함.

식물이 잘 자람.

☑ 식물이 자라는 데에는 ❶(기름 / **물**)이/가 필요합니다.

2 강낭콩이 자라면서 잎과 줄기는 어떻게 변할까?

잎은 점점 넓어지고, 개수도 많아져.

줄기는 점점 굵어지고 길어져.

☑ 강낭콩이 자라면서 줄기는 점점 ❷(**길어** / 짧아)집니다.

3 강낭콩이 자라면서 꽃과 열매가 생기는 과정을 알아볼까?

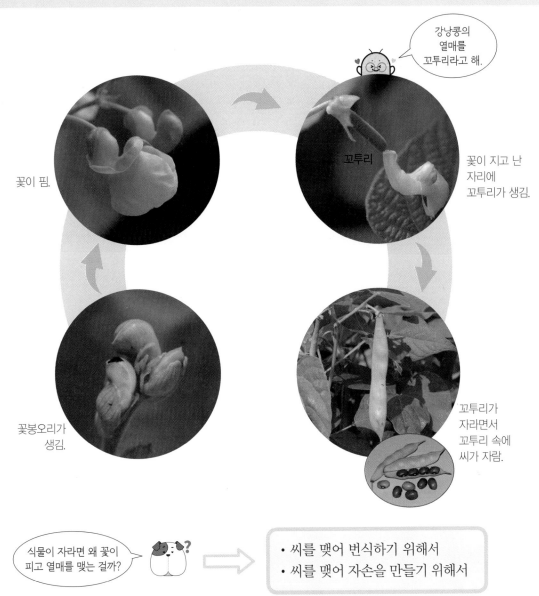

강낭콩의 열매를 꼬투리라고 해.

꽃이 핌.

꼬투리

꽃이 지고 난 자리에 꼬투리가 생김.

꽃봉오리가 생김.

꼬투리가 자라면서 꼬투리 속에 씨가 자람.

식물이 자라면 왜 꽃이 피고 열매를 맺는 걸까?

• 씨를 맺어 번식하기 위해서
• 씨를 맺어 자손을 만들기 위해서

강낭콩의 꽃이 진 자리에는 ^③(떡잎 / 꼬투리)이/가 생깁니다.

정답 ❶ 물 ❷ 길어 ❸ 꼬투리

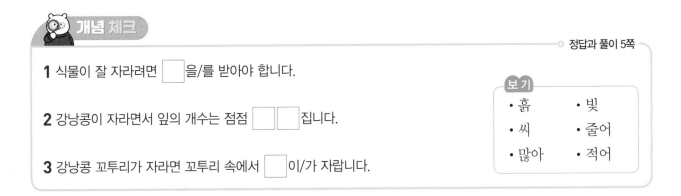

개념 체크

◦ 정답과 풀이 5쪽

1 식물이 잘 자라려면 ☐을/를 받아야 합니다.

2 강낭콩이 자라면서 잎의 개수는 점점 ☐☐집니다.

3 강낭콩 꼬투리가 자라면 꼬투리 속에서 ☐이/가 자랍니다.

보기
• 흙   • 빛
• 씨   • 줄어
• 많아   • 적어

1 다음은 물 조건만 다르게 하여 강낭콩을 기른 모습입니다. 물을 주어 기른 것의 기호를 쓰시오.

ㄱ

▲ 잘 자람.

ㄴ

▲ 시들고 잘 자라지 못함.

(   )

2 다음 보기에서 위 **1**번의 결과를 통해 알 수 있는 점으로 옳은 것을 골라 기호를 쓰시오.

보기

ㄱ 물을 주면 식물이 시듭니다.

ㄴ 식물이 자라는 데 물은 필요하지 않습니다.

ㄷ 식물이 자라는 데에는 적당한 양의 물이 필요합니다.

(   )

3 다음 중 식물이 자라는 데 필요한 조건을 두 가지 고르시오. (,   )

① 빛   ② 비싼 화분   ③ 적당한 온도

④ 매우 낮은 온도   ⑤ 매우 높은 온도

4 다음은 강낭콩이 자라면서 잎과 줄기가 변하는 모습에 대한 설명입니다. 옳은 것에는 ○표, 옳지 <u>않은</u> 것에는 ×표를 하시오.

(1) 잎이 점점 넓어집니다.   (   )

(2) 줄기가 점점 굵어집니다.   (   )

(3) 잎의 개수가 점점 적어집니다. (   )

5 다음 사진을 보고 강낭콩의 꽃에 해당하는 것은 꽃, 열매에 해당하는 것은 열매라고 쓰시오.

(1)

(   )

(2)

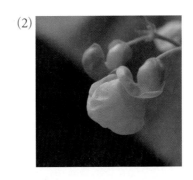

(   )

6 다음은 식물이 자라면 꽃이 피고 열매를 맺는 까닭입니다. ☐ 안에 들어갈 알맞은 말은 어느 것입니까? (   )

> 식물이 자라면 ☐☐을/를 맺어 번식하기 위해서 꽃이 피고 열매를 맺습니다.

① 씨   ② 떡잎   ③ 가시

④ 뿌리   ⑤ 본잎

똑똑한 하루 퀴즈

7 다음 ☐ 안에 들어갈 알맞은 낱말을 말 상자에서 찾아 모두 ○표를 하세요. 말 상자의 낱말은 가로, 세로, 대각선에 숨어 있어요.

꼬	솔	🌸	소
투	잎	번	식
리	🌸	줄	영
진	본	연	기

❶ 강낭콩이 자라면서 ☐☐는 점점 굵어지고 길어짐.

❷ 강낭콩의 열매를 ☐☐☐라고 함.

❸ 식물은 씨를 맺어 ☐☐하기 위해서 자라면 꽃이 피고 열매를 맺음.

4일 # 여러 가지 식물의 한살이

한해살이 식물은 열매를 딱 한 번만 맺어!

용어 체크

🔵 한해살이 식물

한 해 동안 한살이를 거치고 일생을 마치는 식물

예 옥수수는 **①[   ]** 해만 사는 한해살이 식물이다.

▲ 옥수수

정답 ① 한

 열매를 여러 번 맺는 여러해살이 식물이 최고야!

 용어 체크

여러해살이 식물

여러 해 동안 살면서 한살이의 일부를 반복하는 식물

예 사과나무는 여러해살이 식물로 여러 해를 살면서 ⬛ 맺는 것을
반복한다.

▲ 사과나무

정답 ❶ 열매

1 벼의 한살이를 알아볼까?

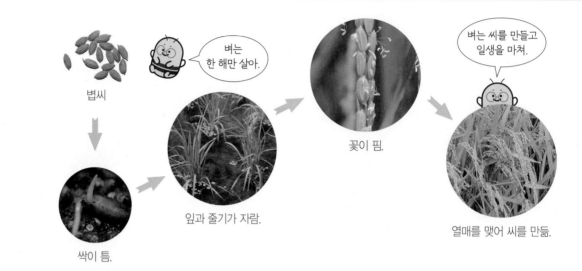

볍씨

벼는 한 해만 살아.

싹이 틈.

잎과 줄기가 자람.

꽃이 핌.

벼는 씨를 만들고 일생을 마쳐.

열매를 맺어 씨를 만듦.

☑ 벼는 ❶(한 해 / 여러 해) 안에 한살이를 거치고 일생을 마칩니다.

2 감나무의 한살이를 알아볼까?

감씨

감나무는 적당한 크기의 나무로 자라면 꽃이 피고 열매 맺는 것을 반복해.

잎과 줄기가 자람.

몇 년 동안 적당한 크기의 나무로 자람.

잎과 줄기가 자람.

꽃이 핌.

꽃이 지고 열매를 맺음.

새순이 나옴. (이듬해 봄)

겨울을 보냄.

열매가 자람.

☑ 감나무는 ❷(한 해 / 여러 해) 동안 죽지 않고 살아갑니다.

3 식물의 한살이 기간에 따른 특징을 알아볼까?

한해살이 식물	여러해살이 식물
벼처럼 한 해 동안 한살이를 거치고 일생을 마치는 식물이야.	감나무처럼 여러 해 동안 살면서 한살이의 일부를 반복하는 식물이야.

▲ 강낭콩　▲ 봉숭아　▲ 옥수수　▲호박

▲ 무궁화　▲ 개나리　▲ 사과나무　▲ 은행나무

공통점
모두 씨가 싹 터서 자라며 꽃이
피고 열매를 맺어 번식함.

☑ 여러 해 동안 죽지 않고 살아가는 식물은 ③(한해살이 / 여러해살이) 식물입니다.

정답 ❶ 한 해 ❷ 여러 해 ❸ 여러해살이

개념 체크

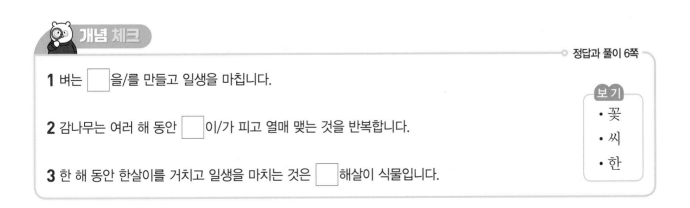

정답과 풀이 6쪽

1 벼는 [　]을/를 만들고 일생을 마칩니다.

2 감나무는 여러 해 동안 [　]이/가 피고 열매 맺는 것을 반복합니다.

3 한 해 동안 한살이를 거치고 일생을 마치는 것은 [　]해살이 식물입니다.

보 기
• 꽃
• 씨
• 한

4일 개념 확인하기

1 다음 벼의 한살이 과정 중 가장 먼저 볼 수 있는 모습의 기호를 쓰시오.

▲ 꽃이 핌.

▲ 싹이 틈.

▲ 잎과 줄기가 자람.

(   )

2 다음 중 벼의 한살이에 대한 설명으로 옳은 것은 어느 것입니까? (   )

① 씨를 만들지 못한다.

② 꽃이 피면 바로 죽는다.

③ 씨를 만들고 일생을 마친다.

④ 열매를 맺은 뒤에 꽃이 핀다.

⑤ 싹이 트고 바로 열매를 맺는다.

3 다음은 감나무의 한살이에 대한 설명입니다. ☐ 안에 들어갈 알맞은 말을 쓰시오.

감나무는 적당한 크기의 나무로 자라면 여러 해 동안 꽃이 피고 ☐ 맺는 것을 반복합니다.

(   )

4 다음을 벼와 감나무의 한살이에 맞게 줄로 바르게 이으시오.

(1) 벼 ・   ・㉠ 여러 해 동안 삶.

(2) 감나무 ・   ・㉡ 한 해만 삶.

5 다음 중 식물을 한해살이 식물과 여러해살이 식물로 나누는 기준은 어느 것입니까? ( )

① 꽃의 크기　　　　　② 떡잎의 수　　　　　③ 줄기의 굵기

④ 열매의 개수　　　　⑤ 한살이 기간

2 주

6 다음 보기 에서 여러해살이 식물을 골라 기호를 쓰시오.

> 보기
> ㉠ 강낭콩　　　　㉡ 봉숭아　　　　㉢ 무궁화　　　　㉣ 옥수수

( )

🐻 집중 **연습 문제** **식물의 한살이 기간에 따른 특징**

7 다음 중 여러해살이 식물에 대한 설명으로 옳은 것을 두 가지 **고르시오.** (,)

① 꽃을 피우지 않는다.

② 사과나무는 여러해살이 식물이다.

③ 열매를 맺고 한 해만 살고 죽는다.

④ 여러 해 동안 죽지 않고 살아간다.

⑤ 한 해 동안 한살이를 거치고 일생을 마친다.

여러해살이
식물은 [　] 해를 살면서
열매 맺는 것을 반복해.

Good!

8 다음은 한해살이 식물과 여러해살이 식물 중 어떤 식물의 한살이 과정인지 쓰시오.

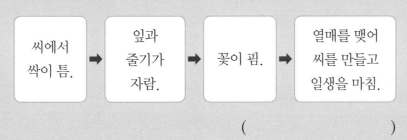

씨에서 싹이 틈. → 잎과 줄기가 자람. → 꽃이 핌. → 열매를 맺어 씨를 만들고 일생을 마침.

( )

벼의 한살이와 같아.

1 식물의 한살이 관찰 계획

① **여러 가지 씨** : 공통적으로 단단하고 껍질이 있지만 생김새는 씨에 따라 다릅니다.

② **식물의 한살이**

뜻	식물의 씨가 싹 터서 자라며, 꽃이 피고 열매를 맺어 다시 씨가 만들어지는 과정
한살이 관찰에 적합한 식물	한살이 기간이 짧고 잎, 줄기, 꽃, 열매 등을 관찰하기 쉬운 것 **예** 강낭콩, 봉숭아, 토마토, 나팔꽃, 벼 등

③ **화분에 씨를 심는 방법**

씨 크기의 두세 배 깊이로 씨를 심어야 해.

거름흙

작은 돌

화분 바닥에 있는 물 빠짐 구멍을 막고 거름흙 넣기

씨를 심고 흙을 덮은 후 물을 충분히 주기

팻말을 꽂아 햇빛이 비치는 곳에 놓아두기

2 씨의 싹 트기

물과 온도 조건이 모두 맞아야 씨가 싹이 터.

① **씨가 싹 트는 데 필요한 조건** : 적당한 양의 물, 적당한 온도 등

② **강낭콩과 옥수수가 싹 트는 과정**

싹 튼 강낭콩	싹 튼 옥수수
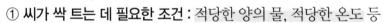 본잎 떡잎 뿌리	떡잎싸개 본잎 뿌리
딱딱했던 씨가 부풀면 뿌리 → 떡잎 → 본잎이 순서대로 나옴.	딱딱했던 씨가 부풀면 뿌리 → 떡잎싸개 → 본잎이 순서대로 나옴.

3 식물의 자람

① **식물이 자라는 데 필요한 조건** : 적당한 양의 물, 빛, 적당한 온도 등

② **강낭콩의 자람**

잎과 줄기	• 잎 : 자라면서 점점 넓어지고 개수가 많아짐. • 줄기 : 자라면서 점점 굵어지고 길어짐.
꽃과 열매	꽃이 피었다가 지고 나면 열매인 꼬투리가 생김.  꽃 →  꼬투리

강낭콩의
열매를
꼬투리라고 해.

4 여러 가지 식물의 한살이

한해살이 식물	여러해살이 식물
한 해 동안 한살이를 거치고 일생을 마치는 식물 **예** 벼, 강낭콩, 봉숭아, 옥수수 등	여러 해 동안 살면서 한살이의 일부를 반복하는 식물 **예** 감나무, 무궁화, 개나리 등

Talk Talk

🕐 📍 📶 .ıll 100%

이것 봐! 자연에서 자라는 바나나는 열매 속에 크고 단단한 씨가 많이 들어 있어.

난 원래
씨가 많아.

진짜? 사람들이 먹는 바나나에는 씨가 없던데?

 사람들이 먹기 편하게 처리를 했기 때문에 요즘 사람들이 먹는 바나나에는 씨가 없는 거래.

아하! 그렇구나.

1일 식물의 한살이 관찰 계획

1 다음 중 여러 가지 씨에 대한 설명으로 옳은 것은 어느 것입니까? (   )

① 껍질이 없다.　　　　　　　② 물렁물렁하다.

③ 모양이 모두 둥글다.　　　　④ 씨에 따라 색깔이 다르다.

⑤ 대부분 주먹보다 크기가 크다.

2 다음 보기 에서 식물의 한살이를 관찰하기에 가장 적합한 식물을 골라 기호를 쓰시오.

보기
ㄱ 한살이 기간이 길고, 잎, 줄기, 꽃, 열매 등을 관찰하기 쉬운 것
ㄴ 한살이 기간이 짧고, 잎, 줄기, 꽃, 열매 등을 관찰하기 쉬운 것
ㄷ 한살이 기간이 짧고, 잎, 줄기, 꽃, 열매 등을 관찰하기 어려운 것

(　　　　　　　　)

3 오른쪽의 화분에 씨를 심을 때에는 씨 크기의 몇 배 깊이로 심어야 하는지 쓰시오.

(　　　　　　) 배

4 다음 중 화분에 씨를 심고 흙을 덮은 뒤에 해야 할 일은 어느 것입니까? (   )

① 모래를 넣는다.　　　　　　② 물을 충분히 준다.

③ 거름흙을 더 넣는다.　　　　④ 어두운 곳에 놓아둔다.

⑤ 물 빠짐 구멍을 막는다.

● 정답과 풀이 6쪽

2일 씨의 싹 트기

5 다음은 물 조건만 다르게 하고 일주일 후에 강낭콩을 관찰한 모습입니다. 이 중 물을 준 강낭콩의 기호를 쓰시오.

ㄱ

▲ 싹이 텄음.

ㄴ

▲ 싹이 트지 않았음.

(   )

6 오른쪽은 싹이 튼 강낭콩의 모습입니다. 떡잎에 해당하는 것의 기호를 쓰시오.

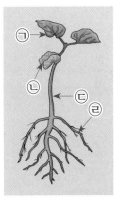

(   )

7 다음 중 강낭콩이 싹 틀 때 본잎, 떡잎, 뿌리가 나오는 순서대로 바르게 나타낸 것은 어느 것입니까? (   )

① 본잎 → 떡잎 → 뿌리　　　　② 본잎 → 뿌리 → 떡잎

③ 뿌리 → 떡잎 → 본잎　　　　④ 뿌리 → 본잎 → 떡잎

⑤ 떡잎 → 뿌리 → 본잎

3일 식물의 자람

8 다음을 강낭콩의 잎과 줄기가 자라는 모습에 맞게 순서대로 기호를 쓰시오.

ㄱ   ㄴ   ㄷ

(   ) → (   ) → (   )

9 다음 중 강낭콩의 꽃이 진 자리에 생기는 것은 어느 것입니까? (   )

① 떡잎   ② 본잎

③ 뿌리털   ④ 꼬투리

⑤ 떡잎싸개

4일 여러 가지 식물의 한살이

10 다음 보기에서 벼의 한살이 과정 중 가장 마지막에 볼 수 있는 모습을 골라 기호를 쓰시오.

보기
ㄱ 꽃이 핍니다.
ㄴ 볍씨에서 싹이 튼니다.
ㄷ 잎과 줄기가 자랍니다.
ㄹ 열매를 맺어 씨를 만듭니다.

(   )

11 다음 중 감나무의 한살이에 대해 바르게 설명한 친구의 이름을 쓰시오.

> 소민 : 한 해 동안 한살이를 거치고 일생을 마쳐.
> 혜원 : 싹이 터서 자라고 겨울이 오면 시들어서 죽어.
> 태호 : 적당한 크기의 나무로 자라면 여러 해 동안 꽃이 피고 열매 맺는 것을 반복해.

(   )

서술형

12 다음 여러 가지 식물의 한살이의 공통점을 쓰시오.

| 무궁화 | 강낭콩 | 봉숭아 | 사과나무 |

모두 씨가 싹 터서 자라며 _____

_____

똑똑한 **하루 퀴즈**

13 다음 십자말풀이를 해 보세요.

➡️ **가로**

❶ 한 해 동안 한살이를 거치고 일생을 마치는 식물. ☐☐살이 식물

❸ 강낭콩의 열매를 부르는 말

❺ 강낭콩에서 싹이 트면서 가장 먼저 나오는 잎

⬇️ **세로**

❷ 감나무는 ☐☐☐살이 식물임.

❹ 강낭콩이 싹 틀 때 가장 먼저 나오는 것

❻ 떡잎이 나온 뒤에 나오는 보통의 잎

1 다음은 여러 가지 씨에 대한 설명입니다. ☐ 안에 들어갈 알맞은 말을 쓰시오.

> 씨에 따라 생김새는 다르지만 단단하고 ☐ 이/가 있다는 공통점이 있습니다.

( )

2 다음을 읽고, 식물의 한살이 관찰에 적합한 식물의 조건이면 ○표, 적합하지 <u>않은</u> 식물의 조건이면 ×표를 하시오.

(1) 한살이 기간이 짧아야 합니다. ( )

(2) 꽃이 잘 보이지 않아야 합니다. ( )

(3) 잎을 관찰하기 쉬워야 합니다. ( )

3 다음 화분에 씨를 심는 방법 중 가장 마지막에 해야 할 일은 어느 것입니까? ( )

①
▲ 거름흙을 $\frac{3}{4}$ 정도 넣기

②
작은 돌
▲ 물 빠짐 구멍 막기

③
▲ 팻말을 꽂아 햇빛이 비치는 곳에 두기

④
씨
▲ 씨를 심고, 흙 덮기

4 다음과 같이 물 조건만 다르게 하고 관찰했을 때 일주일 후 강낭콩의 변화에 맞게 줄로 바르게 이으시오.

(1)
▲ 물을 주지 않은 강낭콩

· · ㉠ 싹이 틈.

(2)
▲ 물을 준 강낭콩

· · ㉡ 싹이 트지 않음.

5 다음은 싹 튼 강낭콩과 싹 튼 옥수수의 모습입니다. ㉠과 ㉡ 부분의 이름을 바르게 나타낸 것은 어느 것입니까? ( )

▲ 싹 튼 강낭콩

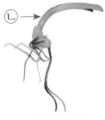
▲ 싹 튼 옥수수

	㉠	㉡		㉠	㉡
①	떡잎	떡잎	②	떡잎	본잎
③	본잎	떡잎	④	떡잎	떡잎싸개
⑤	떡잎싸개	떡잎			

6 다음 보기에서 식물이 자라는 데 필요한 조건이 <u>아닌</u> 것을 골라 기호를 쓰시오.

> 보기
> ㉠ 빛 　　　　　　㉡ 모래
> ㉢ 적당한 온도 　　㉣ 적당한 양의 물

(　　　　　　)

7 다음 강낭콩의 꽃이 피었다가 지고 나면 생기는 것의 이름을 쓰시오.

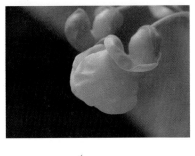

(　　　　　　)

8 다음 중 식물이 자라면 꽃이 피고 열매를 맺는 까닭으로 옳은 것은 어느 것입니까? (　　)

① 씨를 맺어 번식하기 위해서이다.
② 꽃이 지지 않게 하기 위해서이다.
② 양분을 더 많이 만들기 위해서이다.
④ 뿌리가 더 길어지게 하기 위해서이다.
⑤ 떡잎이 더 많이 나오게 하기 위해서이다.

9 다음 보기에서 여러해살이 식물에 대한 설명으로 옳은 것끼리 바르게 짝지은 것은 어느 것입니까? (　　　　)

> 보기
> ㉠ 열매를 한 번만 맺습니다.
> ㉡ 여러 해를 살면서 열매 맺는 것을 반복합니다.
> ㉢ 한 해 동안 한살이를 거치고 일생을 마칩니다.
> ㉣ 겨울 동안에도 죽지 않고 살아남아 이듬해 봄에 새순이 납니다.

① ㉠, ㉡　　　　　② ㉠, ㉢
③ ㉡, ㉢　　　　　④ ㉡, ㉣
⑤ ㉢, ㉣

10 다음을 한해살이 식물과 여러해살이 식물끼리 줄로 바르게 이으시오.

(1)

▲ 강낭콩

· 　　　　　 · ㉠

▲ 개나리

(2)

▲ 사과나무
· 　　　　　 · ㉡

▲ 벼

2주특강

생활 속 과학

우리가 먹을 수 있는 식물의 열매를 과일과 채소로 구분해 봅니다.

과일과 채소는 어떻게 구분할까?

과일

과일은 나무를 가꾸어 얻는, 사람이 먹을 수 있는 열매를 말해요. 사과처럼 나무에서 자라는 열매가 과일이지요.

난 나무에서 자라니까 과일!

채소

채소는 밭에 심어서 가꾸어 먹는 식물이에요. 수박처럼 밭에서 자라는 열매가 채소이지요.

난 밭에서 자라니까 채소!

나무에서 열리면 과일, 그렇지 않으면 채소구나!

과일의 종류

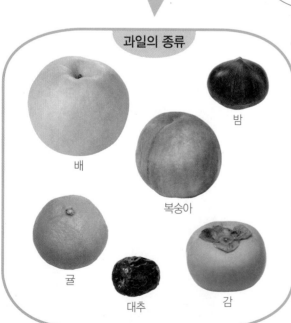

배, 밤, 복숭아, 귤, 대추, 감

채소의 종류

방울토마토, 참외, 고추, 가지, 오이, 호박, 멜론

1 사다리를 타고 내려갔을 때 나무에서 얻는 열매가 있는 곳에 도착하게 되는 친구의 이름을 쓰세요.

2주

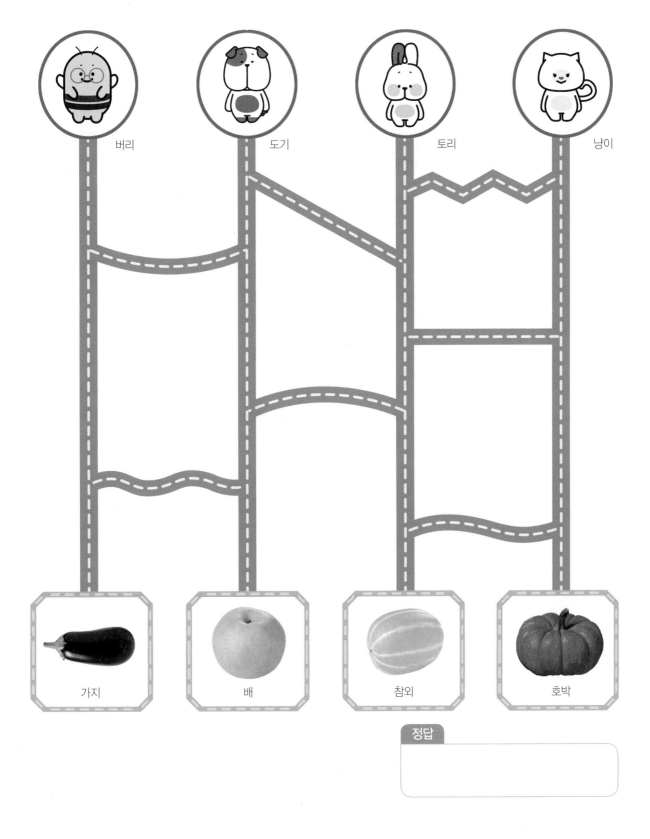

버리

도기

토리

냥이

가지

배

참외

호박

정답

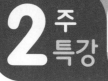

2주특강 사고 쑥쑥

오랫동안 보관된 씨가 싹 트게 할 수 있는 방법을 통해 씨가 싹 트는 조건을 살펴봅니다.

2 다음의 만화를 읽고, 오랫동안 보관된 씨가 싹이 트게 할 수 있는 방법을 바르게 말한 친구의 이름을 쓰세요.

정답

해바라기가 자라는 모습을 통해 해바라기 한살이의 특징을 생각해 봅니다.

3 다음 만화를 읽고 해바라기 한살이의 특징에 맞게 줄로 바르게 이으세요.

▲ 해바라기

· (1) 열매를 한 번만 맺음.

· ㉠ 여러해살이 식물

· (2) 열매를 여러 번 맺음.

· ㉡ 한해살이 식물

논리 **탄탄**

2주 특강

코딩을 통해 강낭콩의 한살이 과정을 살펴봅니다.

4 코딩을 하여 버리가 다음 문제의 □ 안에 해당하는 단어가 있는 칸에 도착하게 하려고 해요. 코딩을 바르게 한 것에 ○표 하세요.

[문제]

강낭콩의 꽃이 피었다가 진 자리에는 [   ]이/가 생깁니다.

[코딩 명령어]

↓ 아래로 한 칸 이동   ↑ 위로 한 칸 이동

← 왼쪽으로 한 칸 이동   → 오른쪽으로 한 칸 이동

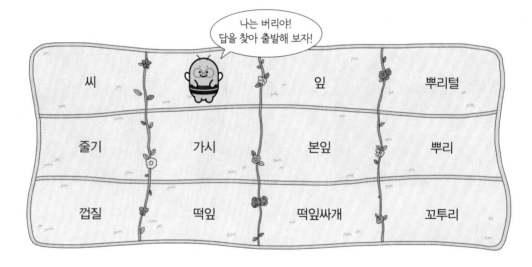

나는 버리야!
답을 찾아 출발해 보자!

씨		잎	뿌리털
줄기	가시	본잎	뿌리
껍질	떡잎	떡잎싸개	꼬투리

(1) → → ↓ → ← → ↓   (   )

(2) ↓ → → → → → ↓   (   )

(3) ↓ → ↓ → ← → ↑   (   )

코딩을 통해 한해살이 식물과 여러해살이 식물의 예를 살펴봅니다.

5 다음과 같이 코딩을 했을 때 한해살이 식물이 있는 칸에 도착하는 경우를 찾아 모두 ○표를 하세요.

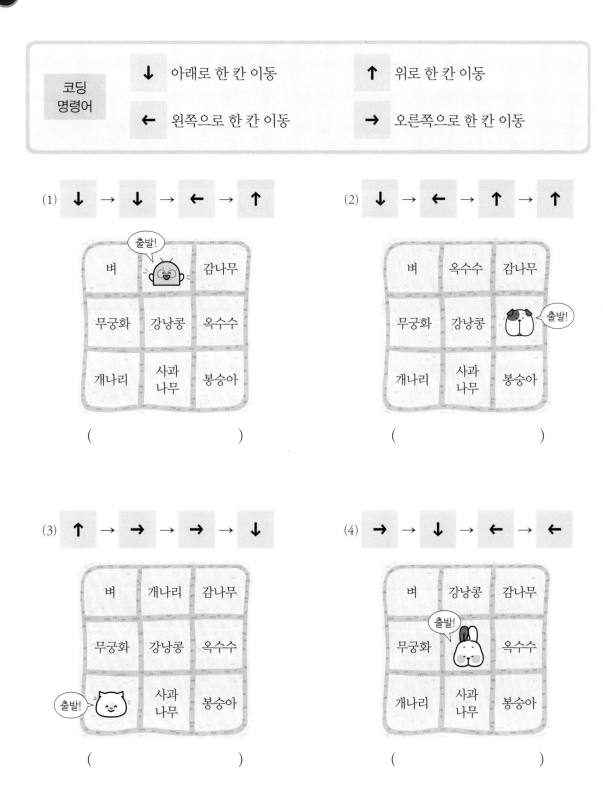

무게를 정확히 알기 위해 저울을 사용해.

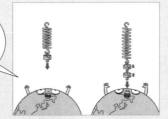

'무게'란 지구가 물체를 끌어당기는 힘의 크기야.

무게의 뜻

무게

용수철의 성질

용수철저울

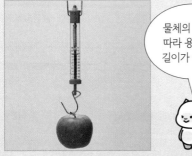

물체의 무게에 따라 용수철의 길이가 늘어나.

수평 잡기의 원리

양팔 저울

물체의 무게를 저울로 측정하는 까닭을 알고 용수철의 성질과 수평 잡기의 원리를 이용한 저울을 공부해!

저울

어느 쪽이 무겁지?

뜻 물체의 무게를 재는 데 쓰는 측정 도구. 체중계, 전자저울, 가정용 저울 등이 있음.

예 가정용 **저울**을 사용하여 사과의 무게를 정확하게 측정할 수 있어요.

무게

수박을 끌어당기자.

뜻 지구가 물체를 끌어당기는 힘의 크기

예 수박을 끌어당기는 힘의 크기가 수박의 **무게**예요.

무거울수록 지구가 물체를 끌어당기는 힘이 커.

추

錘
저울추 **추**

모양도 여러 가지야.

뜻 저울대 한쪽에 걸거나 저울판에 올려놓는 일정한 무게의 쇠

예 추의 종류는 무게에 따라 20 g중, 50 g중 등 여러 가지가 있어요.

용수철 성질

길이가 점점 늘어나.

龍 鬚 鐵
용 **용** 수염 **수** 쇠 **철**

뜻 물체의 무게에 따라 용수철의 길이가 일정하게 늘어나거나 줄어드는 성질

예 용수철저울은 **용수철**이 물체의 무게에 따라 일정하게 늘어나는 **성질**을 이용하여 만든 저울이에요.

무게와 저울에 관련된 용어가 있어. 특히 무게, 용수철 성질, 수평 등의 용어와 개념은 꼭 기억해.

영점 조절

零 點 調 節
영 **영** 점 **점** 고를 **조** 마디 **절**

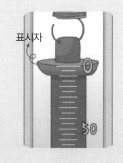

표시자
0
50

뜻 저울 등의 바늘이나 표시 자가 '0'을 가리키도록 조절하는 일

예 물체를 용수철저울에 매달기 전에 표시 자가 눈금 '0'을 가리키도록 **영점 조절**을 해요.

수평 잡기

水 平
물 **수** 평평할 **평**

수평이야.

뜻 한쪽으로 기울지 않은 상태인 수평을 잡는 것

예 놀이터의 시소는 **수평 잡기**의 원리를 이용한 놀이 기구예요.

양팔저울

수평이야.

뜻 가로 막대의 중심을 받치고 양쪽에 똑같은 접시를 단 저울

예 **양팔저울**의 접시에 물체를 각각 올려놓고 저울대가 기울어지는 쪽을 확인해 물체의 무게를 비교해요.

나랑 몸무게 비교할 사람?

체중계가 고장 난 것 아니야?

도대체 몸무게가 몇 kg이야?

이 용수철저울도 고장 나서 일정하게 늘어나지 않아.

추 무게에 따른 용수철의 변화

 남은 식량의 무게가 클수록 유리해

 **용어 체크**

⚲ 무게

지구가 물체를 끌어당기는 힘의 크기

예 용수철에 걸어 놓은 추의 ❶ [ ] 가 무거울수록 용수철의 길이도 많이 늘어난다.

⚲ 저울

물체의 무게를 재는 데 쓰는 기구. 가정용 저울, 체중계, 전자 저울 등이 있음.

예 우체국에서 등기 우편을 보낼 때 우편물의 무게를 ❷ [ ] 로 정확하게 재어야 한다.

정답 ❶ 무게 ❷ 저울

헷갈리는 무게의 단위

 용어 체크

추

저울대 한쪽에 걸거나 저울판에 올려놓는 일정한 무게의 쇠. 모양, 무게는 여러 가지임.

예 용수철에 추를 걸면 ⬚❶ 의 무게에 따라 늘어난 용수철의 길이가 다르다.

g중(그램중), kg중(킬로그램중)

무게의 단위. 생활에서는 g중, kg중을 g, kg으로 줄여서 사용하기도 함.

예 내 몸무게는 과학적으로 40 kg이 아니라 40 kg ⬚❷ 이다.

정답 ❶ 추 ❷ 중

1 저울로 무게를 측정하는 까닭은 무엇일까?

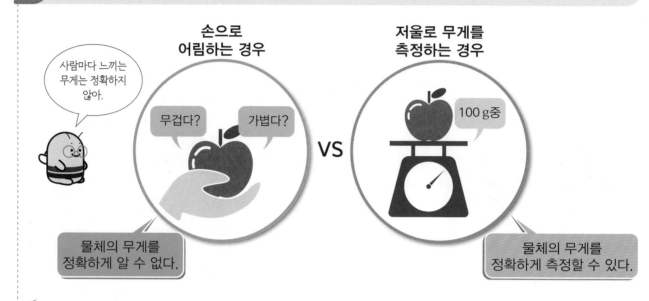

> 사람마다 느끼는 무게는 정확하지 않아.

손으로 어림하는 경우

무겁다? 가볍다?

물체의 무게를 정확하게 알 수 없다.

VS

저울로 무게를 측정하는 경우

100 g중

물체의 무게를 정확하게 측정할 수 있다.

☑ 물체의 무게를 정확하게 알기 위해 **①** (손 / 저울)을 사용합니다.

2 용수철에 물체를 걸어 놓으면 어떻게 될까?

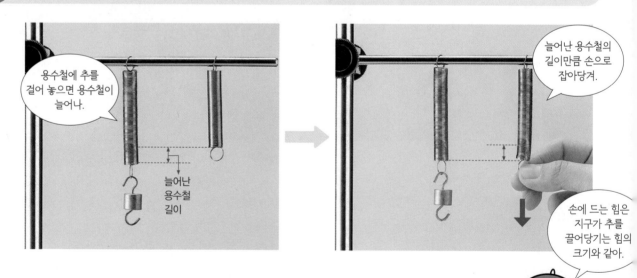

> 용수철에 추를 걸어 놓으면 용수철이 늘어나.

늘어난 용수철 길이

> 늘어난 용수철의 길이만큼 손으로 잡아당겨.

> 손에 드는 힘은 지구가 추를 끌어당기는 힘의 크기와 같아.

용수철의 길이가 늘어난 까닭 : 지구가 추를 끌어당기기 때문임.

☑ 용수철에 추를 걸면 지구가 추를 **②** (밀어 내기 / 끌어당기기) 때문에 용수철의 길이가 늘어납니다.

추 무게에 따른 용수철의 변화

3 추의 무게에 따라 용수철의 길이는 어떻게 될까?

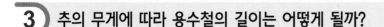

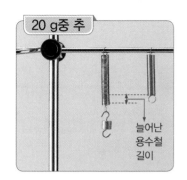
20 g중 추
늘어난
용수철
길이

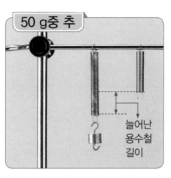
50 g중 추
늘어난
용수철
길이

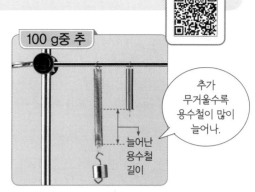
100 g중 추
늘어난
용수철
길이

추가
무거울수록
용수철이 많이
늘어나.

- 용수철의 길이가 가장 많이 늘어나는 것 : 100 g중 추
- 용수철에 걸어 놓은 물체가 무거울수록 용수철의 길이가 많이 늘어나는 까닭
  : 지구가 물체를 끌어당기는 힘이 커지기 때문임.

☑ 용수철에 걸어 놓은 추의 무게가 ❸(**무거울** / 가벼울)수록 용수철의 길이도 많이 늘어납니다.

4 물체의 무게란 무엇일까?

사과의 무게는
지구가 사과를
끌어당기는 힘의
크기야.

© Nada Sertic/shutterstock.com

- **무게** : 지구가 물체를 끌어당기는 힘의 크기
- **단위** : g중(그램중), kg중(킬로그램중), N(뉴턴) 등

☑ 무게는 지구가 물체를 끌어당기는 힘의 ❹(**크기** / 단위)입니다.

정답 ❶ 저울 ❷ 끌어당기기 ❸ 무거울 ❹ 크기

🐻 개념 체크

○— 정답과 풀이 9쪽

1 물체의 [ ][ ]를 정확하게 알기 위해 저울을 사용합니다.

2 용수철에 추를 걸어 놓으면 용수철의 [ ][ ]가 늘어납니다.

3 물체의 무게란 [ ][ ]이/가 물체를 끌어당기는 힘의 크기입니다.

보기
- 무게   • 길이
- 지구   • 사람

1일 개념 확인하기

1 다음 중 물체의 무게를 정확하게 측정할 수 있는 방법으로 옳은 것은 어느 것입니까?

( )

① 손으로 어림한다.

② 물체를 들어본다.

③ 물체를 물에 띄워 본다.

④ 물체의 크기로 비교한다.

⑤ 저울을 사용해 무게를 측정한다.

2 다음 □ 안에 공통으로 들어갈 알맞은 말을 쓰시오.

▲ 수박의 가격을 정할 때
□ 을/를 측정함.

▲ 빵을 만들 때 정해진
재료의 □ 을/를 측정함.

▲ 운동 경기에서 선수들의 체급을
나눌 때 몸의 □ 을/를 측정함.

( )

3 오른쪽과 같이 설치한 용수철 끝의 고리에 추를 걸어 놓을 때에 대한 설명으로 옳은 것을 보기 에서 골라 기호를 쓰시오.

보기

㉠ 용수철의 길이가 늘어납니다.

㉡ 용수철의 길이가 줄어듭니다.

㉢ 아무 변화가 없습니다.

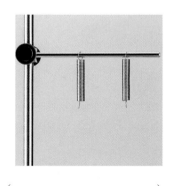

( )

4 다음은 무게가 다른 추 세 개를 용수철에 걸어 놓은 모습입니다.

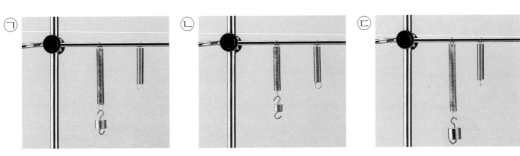

(1) 가장 무거운 추는 어느 것인지 기호를 쓰시오.

(   )

(2) 늘어난 용수철의 길이만큼 옆에 있는 용수철을 손으로 잡아당길 때 가장 당기기 쉬운 것은 어느 것인지 기호를 쓰시오.

(   )

5 다음 중 물체의 무게에 대한 설명으로 옳은 것을 두 가지 고르시오. (,   )

① 물체가 가지고 있는 힘의 크기이다.

② 물체의 크기가 클수록 무게도 커진다.

③ 지구가 물체를 밀어 내는 힘의 크기이다.

④ 지구가 물체를 끌어당기는 힘의 크기이다.

⑤ 물체가 무거울수록 지구가 물체를 끌어당기는 힘의 크기가 크다.

똑똑한 하루 퀴즈

6 다음 □ 안에 들어갈 알맞은 낱말을 말 상자에서 찾아 모두 ○표를 하세요. 말 상자의 낱말은 가로, 세로, 대각선에 숨어 있어요.

저	✿	그	단
✿	울	램	✿
용	✿	중	력
수	스	탠	드
철	물	무	게

❶ 물체의 무게를 측정할 때 사용하는 도구. □□

❷ 지구가 물체를 끌어당기는 힘의 크기. □□

❸ □□□은 손으로 잡아당기면 길이가 늘어나고 잡았던 손을 놓으면 원래 길이로 되돌아감.

❹ g중은 □□□이라고 읽음.

2_일 용수철저울

 용수철저울은 이럴 때 쓰는 거야

 **용어 체크**

용수철의 성질
물체의 무게에 따라 용수철의 길이가 일정하게 늘어나거나 줄어드는 성질

[예] 가정용 저울은 ❶ [   ]의 성질을 이용하여 만든 저울이다.

용수철

물체를 올려놓으면 늘어나.

▲ 가정용 저울의 내부 모습(용수철의 길이 변화)

잊지마, 영점 조절!

 용어 체크

영점 조절

저울 등의 바늘이나 표시 자가 눈금의 '0'을 가리키도록 조절하는 일

예 저울을 사용하기 전에 가장 먼저 ❶ ☐ 조절을 하여 눈금의 0을 가리키도록 한다.

표시 자

용수철저울에 물체를 걸었을 때 눈금을 가리키는 부분

예 용수철저울로 물체의 무게를 잴 때 ❷ ☐ 가 가리키는 눈금을 읽는다.

정답 ❶ 영점 ❷ 표시 자

▶ 실험 동영상

1 추의 무게에 따라 용수철의 길이는 어떻게 늘어날까?

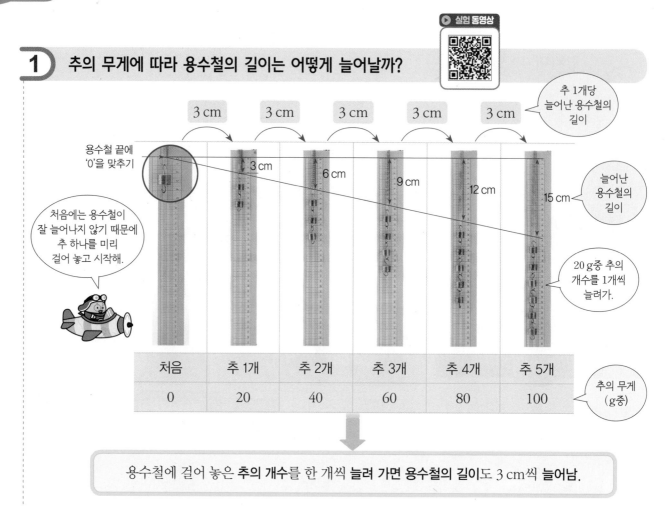

추 1개당 늘어난 용수철의 길이

3 cm 3 cm 3 cm 3 cm 3 cm

용수철 끝에 '0'을 맞추기

3 cm 6 cm 9 cm 12 cm 15 cm

늘어난 용수철의 길이

처음에는 용수철이 잘 늘어나지 않기 때문에 추 하나를 미리 걸어 놓고 시작해.

20 g중 추의 개수를 1개씩 늘려가.

	처음	추 1개	추 2개	추 3개	추 4개	추 5개	추의 무게 (g중)
	0	20	40	60	80	100	

⬇

용수철에 걸어 놓은 **추의 개수**를 한 개씩 늘려 가면 용수철의 길이도 3 cm씩 늘어남.

☑ 용수철에 걸어 놓은 **추의 무게**가 일정하게 늘어나면 용수철의 ❶ (길이 / 무게)도 일정하게 늘어납니다.

2 용수철의 성질을 이용한 저울을 알아볼까?

용수철은 물체의 무게에 따라 일정하게 늘어나거나 줄어드는 성질이 있어.

체중계   가정용 저울   용수철저울

☑ 용수철저울, 가정용 저울, 체중계는 저울 안에 ❷ (추 / 용수철)이/가 있습니다.

3) 용수철저울로 물체의 무게를 어떻게 측정할까?

▶ 실험 동영상

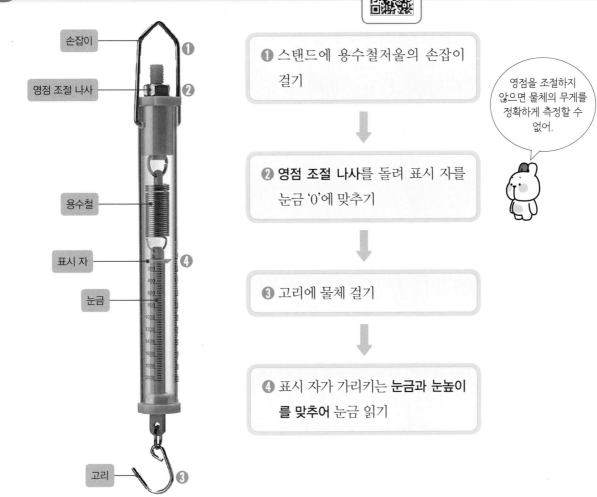

❶ 스탠드에 용수철저울의 손잡이 걸기

❷ **영점 조절 나사를 돌려 표시 자를 눈금 '0'에 맞추기**

영점을 조절하지 않으면 물체의 무게를 정확하게 측정할 수 없어.

❸ 고리에 물체 걸기

❹ 표시 자가 가리키는 **눈금과 눈높이를 맞추어 눈금 읽기**

손잡이 ❶
영점 조절 나사 ❷
용수철
표시 자 ❹
눈금
고리 ❸

☑ 스탠드에 용수철저울을 걸고, ❸(수평 조절 장치 / **영점 조절 나사**)를 돌려 표시 자를 눈금 '0'에 맞추고, 고리에 물체를 겁니다.

정답 ❶ 길이 ❷ 용수철 ❸ 영점 조절 나사

개념 체크

○ 정답과 풀이 9쪽

1 용수철에 걸어 놓은 추의 개수를 늘려 가면 추 한 개당 늘어난 용수철의 길이는 일정(합니다 / 하지 않습니다).

2 늘어난 용수철의 길이는 용수철에 걸어 놓은 물체의 ☐☐ 을/를 나타냅니다.

3 용수철저울로 물체의 무게를 측정할 때 가장 먼저 ☐☐ 조절을 합니다.

보기
• 무게   • 길이
• 눈금   • 영점

[1~3] 다음은 오른쪽 장치의 용수철에 20 g중 추의 개수를 한 개씩 늘려 가면서 늘어난 용수철의 길이를 표로 나타낸 것입니다. 물음에 답하시오.

추의 무게 (g중)	0	20	40	60	80
늘어난 용수철의 길이(cm)	0	3	6	9	12

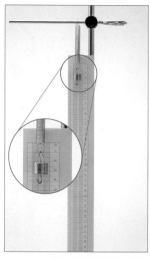

▲ 늘어난 용수철의 길이를 측정 할 수 있는 장치

1 위에서 추의 무게가 20 g중씩 늘어날 때마다 늘어난 용수철의 길이는 몇 cm인지 쓰시오.

( ) cm

2 다음 중 용수철에 걸어 놓은 추의 무게가 100 g중이라면 늘어난 용수철의 길이로 옳은 것은 어느 것입니까? ( )

① 9 cm   ② 12 cm   ③ 15 cm
④ 24 cm   ⑤ 알 수 없다.

3 다음 중 위의 실험에서 알 수 있는 점으로 옳은 것에 ○표를 하시오.

⑴ 추의 무게가 늘어나도 용수철의 길이는 변하지 않습니다. ( )

⑵ 추의 무게가 일정하게 늘어나도 용수철의 길이는 일정하지 않게 늘어납니다.
( )

⑶ 추의 무게가 일정하게 늘어나면 용수철의 길이도 일정하게 늘어납니다. ( )

4 다음 용수철저울의 각 부분과 이름을 바르게 줄로 이으시오.

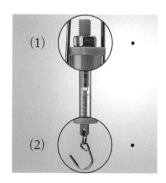

(1) •

(2) •

• ㉠ 고리
• ㉡ 눈금
• ㉢ 표시 자
• ㉣ 영점 조절 나사

5 다음은 용수철저울의 사용 방법입니다. 순서대로 기호를 쓰시오.

> ㉠ 스탠드에 용수철저울을 겁니다.
> ㉡ 고리에 무게를 측정할 물체를 겁니다.
> ㉢ 영점 조절 나사를 돌려 영점을 맞춥니다.
> ㉣ 표시 자가 움직이지 않을 때 표시 자가 가리키는 눈금을 읽습니다.

(㉠   ) → (   ) → (   ) → (   )

6 다음 중 용수철저울로 추의 무게를 측정할 때 눈금을 읽는 눈높이로 옳은 것의 기호를 쓰시오.

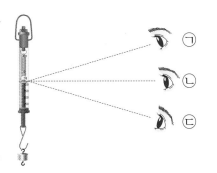

(   )

🐻 집중 연습 문제   **용수철의 성질**

7 다음은 추의 무게에 따라 늘어난 용수철의 길이를 나타낸 것입니다.

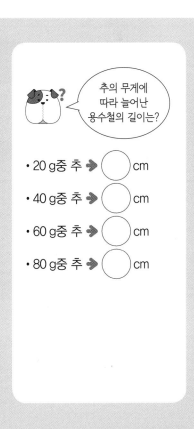

추의 무게에 따라 늘어난 용수철의 길이는?

추의 무게(g중)	0	20	40	60	80	☐
늘어난 용수철의 길이(cm)	0	3	6	9	12	15
추 1개당 늘어난 용수철의 길이(cm)	☐	☐	☐	☐	☐	

- 20 g중 추 ➡ ◯ cm
- 40 g중 추 ➡ ◯ cm
- 60 g중 추 ➡ ◯ cm
- 80 g중 추 ➡ ◯ cm

(1) 늘어난 용수철의 길이가 15 cm일 때 추의 무게는 몇 g중입니까? (   ) g중

(2) 추 한 개당 늘어난 용수철의 길이는 몇 cm입니까? (   ) cm

(3) 추의 무게가 일정하게 늘어나면 용수철의 길이는 어떻게 됩니까? (   )

3_일 수평 잡기

 침착하게 수평을 잡아

 용어 체크

◉ 수평

어느 한쪽으로 기울어지지 않은 상태. 잔잔한 물처럼 기울지 않고 평평한 상태를 말함.

예 긴 자의 가운데를 손가락으로 받치면 ❶[　　　]을 이룰 수 있다.

◉ 수평 잡기

한 쪽으로 기울지 않은 상태인 수평을 잡는 것

예 놀이터의 ❷[　　　]는 수평 잡기의 원리를 확인할 수 있는 놀이 기구이다.

🐱 시소 탈 때를 생각해

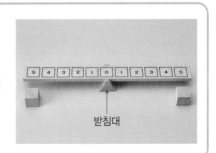

🐼 용어 체크

📍 수평대

긴 나무판자와 받침대를 이용해 물체의 무게를 비교하는 장치

예 수평대를 설치할 때 나무판자가 ❶ ⬜ 이 되도록 나무판자의

가운데인 0 부분을 받침대에 올려놓는다.

받침대

3일 개념 익히기

실험 동영상

1 무게가 같은 두 물체로 수평을 어떻게 잡을까?

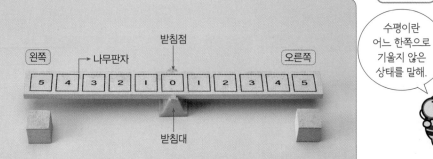

수평이란 어느 한쪽으로 기울지 않은 상태를 말해.

나무토막을 **받침점으로부터** 각각 같은 거리에 올려놓아.

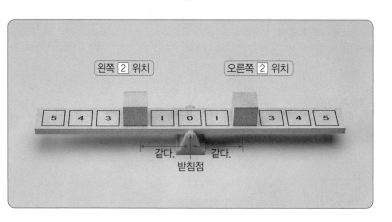

몸무게가 비슷한 친구와 시소를 탈 때

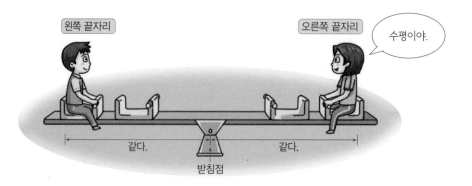

✓ 각각의 물체를 받침점으로부터 ❶ (같은 / 다른) 거리에 놓아야 합니다.

2 무게가 다른 두 물체로 수평을 어떻게 잡을까?

실험 동영상

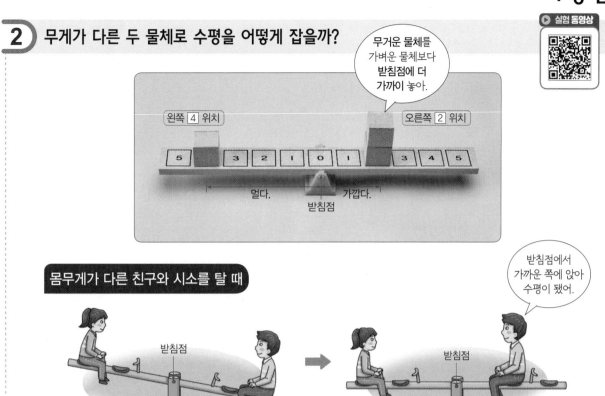

무거운 물체를 가벼운 물체보다 받침점에 더 가까이 놓아.

왼쪽 4 위치
오른쪽 2 위치

5 3 2 1 0 1 3 4 5

멀다. 받침점 가깝다.

받침점에서 가까운 쪽에 앉아 수평이 됐어.

몸무게가 다른 친구와 시소를 탈 때

받침점 → 받침점

✓ 무거운 물체를 가벼운 물체보다 받침점에 더 ❷ (멀리 / **가까이**) 놓습니다.

3 수평 잡기의 원리로 물체의 무게를 어떻게 비교해?

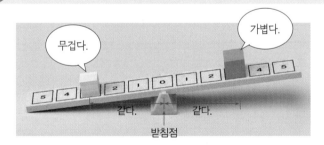

무겁다.
가볍다.

5 4 2 0 1 2 4 5
같다. 받침점 같다.

물체를 받침점으로부터 각각 같은 거리에 올려놓고 기울어진 쪽을 알아봄.

✓ 물체를 받침점으로부터 같은 거리에 올려놓을 때 ❸ (올라간 / **기울어진**) 쪽이 더 무겁습니다.

정답 ❶ 같은 ❷ 가까이 ❸ 기울어진

🐻 개념 체크

○ 정답과 풀이 9쪽

1 어느 한쪽으로 기울지 않은 상태를 ⬜⬜ 이라고 합니다.

2 무게가 같은 물체는 각각 받침점으로부터 ⬜⬜ 거리에 놓아야 수평을 잡을 수 있습니다.

3 받침점으로부터 같은 거리에 올려놓은 두 물체의 무게가 다르면 나무판자는 ⬜⬜⬜ 쪽으로 기울어집니다.

보기
• 수직   • 수평
• 같은   • 다른
• 가벼운 • 무거운

1 다음 나무판자의 오른쪽에 같은 무게의 나무토막 한 개를 올려놓아 수평을 잡으려고 할 때 알맞은 위치는 어디입니까? (   )

2 위 **1**번과 같이 무게가 같은 나무토막을 올려놓아 수평을 잡는 방법으로 옳은 것은 어느 것입니까? (   )

① 각각의 물체를 같은 방향에 놓아야 한다.

② 각각의 물체를 받침대 위에 놓아야 한다.

③ 각각의 물체를 받침점으로부터 같은 거리에 놓아야 한다.

④ 각각의 물체를 받침점으로부터 다른 거리에 놓아야 한다.

⑤ 수평을 잡을 수 없다.

3 다음 나무판자의 왼쪽 ③에 나무토막 한 개를 올려놓고 나무토막 두 개를 나무 판자의 오른쪽에 올려 수평을 잡으려고 할 때 알맞은 위치는 어디입니까? (   )

① 나무판자의 ⓪에 올려놓는다.

② 나무판자의 오른쪽 ③에 올려놓는다.

③ 나무판자의 오른쪽 ③보다 받침점에 더 가까이 놓는다.

④ 나무판자의 오른쪽 ③보다 받침점으로부터 더 멀리 놓는다.

⑤ 수평을 잡을 수 없다.

4 다음과 같이 무게가 다른 두 물체로 수평을 잡는 방법으로 옳은 것을 보기 에서 골라 기호를 쓰시오.

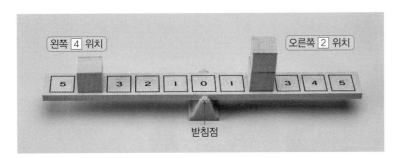

보기

ㄱ 가벼운 물체를 무거운 물체보다 받침점에 더 가까이 놓습니다.

ㄴ 무거운 물체를 가벼운 물체보다 받침점에 더 가까이 놓습니다.

ㄷ 무거운 물체와 가벼운 물체를 받침점으로부터 같은 거리에 놓습니다.

(   )

집중 연습 문제 **수평 잡기로 물체의 무게 비교**

5 다음 친구들의 몸무게를 >, =, <로 비교하시오.

(1)
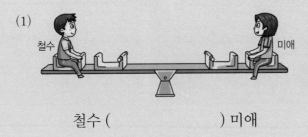

철수 (   ) 미애

(2)

정연 (   ) 태형

시소에 두 친구가 앉은 위치는?

(1) 받침점으로부터
(같은 / 다른) 위치에 앉음.

(2) 받침점으로부터
(같은 / 다른) 위치에 앉음.

4일 양팔저울과 다양한 저울

양팔저울의 수평을 맞춰라!

용어 체크

양팔저울

가로 막대의 중심을 받치고 양쪽에 똑같은 접시를 단 저울. 접시 위에 물체를 올려놓고 무게를 측정하거나 비교한다.

예 정의의 여신상은 양쪽의 죄를 비교하는 ❶ [   ]을 들고 있는 모습이다.

© sebra/shutterstock.com

정답 ❶ 양팔저울

 여러 가지 저울이 필요해

3주

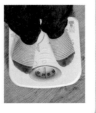 **용어 체크**

⦿ 체중계

몸무게를 재는 데 쓰이는 저울

예 다이어트하는 언니는 매일
❶ [   ]로 몸무게를
잰다.

⦿ 전자저울

전자식 장치를 이용하여 물체의 무게가 숫자로
표시되는 저울

예 수박 한 통을 ❷ [   ]에 올려
놓으니 가격과 무게가 표시되었다.

정답 ❶ 체중계 ❷ 전자저울

▶ 실험 동영상

1 양팔저울로 물체의 무게를 비교해 볼까?

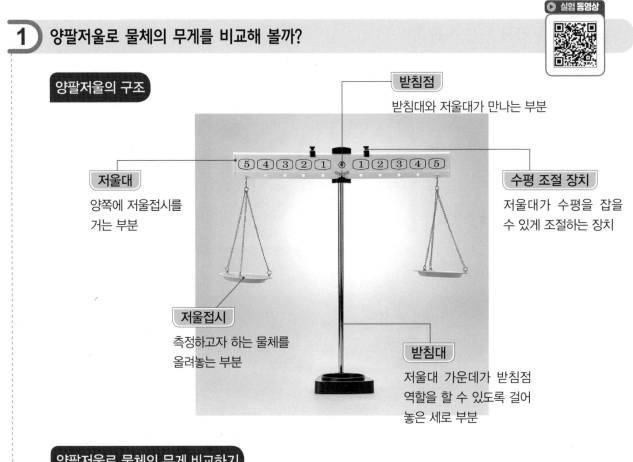

양팔저울의 구조

받침점
받침대와 저울대가 만나는 부분

저울대
양쪽에 저울접시를 거는 부분

수평 조절 장치
저울대가 수평을 잡을 수 있게 조절하는 장치

저울접시
측정하고자 하는 물체를 올려놓는 부분

받침대
저울대 가운데가 받침점 역할을 할 수 있도록 걸어 놓은 세로 부분

양팔저울로 물체의 무게 비교하기

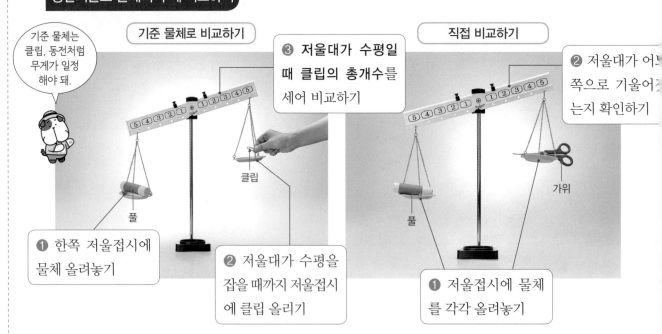

기준 물체는 클립, 동전처럼 무게가 일정 해야 돼.

기준 물체로 비교하기

❸ 저울대가 수평일 때 클립의 총개수를 세어 비교하기

클립

❶ 한쪽 저울접시에 물체 올려놓기

❷ 저울대가 수평을 잡을 때까지 저울접시에 클립 올리기

풀

직접 비교하기

❷ 저울대가 어느 쪽으로 기울어지는지 확인하기

가위

풀

❶ 저울접시에 물체를 각각 올려놓기

✅ 두 물체를 저울접시 ❶(한쪽 / 양쪽)에 각각 올려놓고 저울대가 어느 쪽으로 기울어졌는지 관찰하거나 무게가 일정한 물체를 사용해 비교합니다.

2 우리 생활에는 어떤 저울이 사용될까?

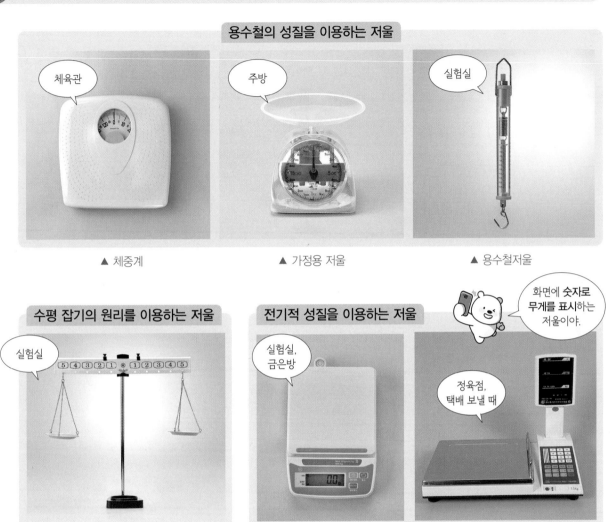

용수철의 성질을 이용하는 저울

체육관
▲ 체중계

주방
▲ 가정용 저울

실험실
▲ 용수철저울

수평 잡기의 원리를 이용하는 저울

실험실
▲ 양팔저울

전기적 성질을 이용하는 저울

실험실, 금은방

화면에 숫자로 무게를 표시하는 저울이야.

정육점, 택배 보낼 때

▲ 전자저울

용수철의 성질을 이용한 용수철저울, 가정용 저울, 체중계, ^②[   ]의 원리를 이용한 양팔저울, 이외에 전기적 성질을 이용하는 ^③(전자 / 전기)저울 등이 있습니다.

정답 ❶ 양쪽 ❷ 수평잡기 ❸ 전자

🐻 **개념 체크**

◇ 정답과 풀이 10쪽

1 (용수철 / 양팔)저울은 수평 잡기의 원리를 이용해 만든 저울입니다.

2 양팔저울의 한쪽 저울접시에는 물체를, 다른 한쪽 저울접시에는 기준 물체를 올려놓고 그 [   ]를 세어 물체의 무게를 비교합니다.

3 금은방, 정육점에서 주로 사용하는 저울은 [   ]저울입니다.

보기
• 개수   • 무게
• 계산   • 전자

[1~2] 다음은 양팔저울입니다. 물음에 답하시오.

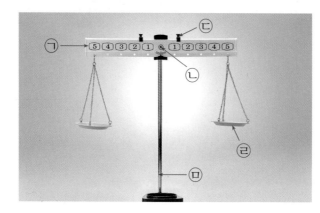

1 위 양팔저울의 각 부분의 이름을 바르게 줄로 이으시오.

(1) ㉠ •   • 저울대

(2) ㉡ •   • 받침대

(3) ㉢ •   • 받침점

(4) ㉣ •   • 저울접시

(5) ㉤ •   • 수평 조절 장치

2 위 양팔저울에서 수평대의 나무판자와 같은 역할을 하는 부분의 기호를 쓰시오.

(   )

3 오른쪽과 같이 한쪽 저울접시에 물체를 올려놓은 다음, 저울대가 수평을 잡을 때까지 다른 한쪽 저울접시에 클립을 올려놓은 후 클립의 총개수를 세어 보았습니다. 다음 중 가장 무거운 물체는 어느 것인지 쓰시오.

물체	지우개	가위	풀
클립의 수(개)	27	41	46

(   )

4 다음과 같이 양팔저울로 세 가지 물체의 무게를 비교하였습니다. 가장 가벼운 물체는 어느 것인지 쓰시오.

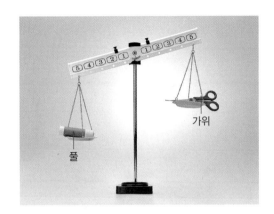

(   )

5 다음 중 수평 잡기의 원리를 이용하는 저울은 어느 것입니까? (   )

▲ 체중계

▲ 양팔저울

▲ 가정용 저울

▲ 전자저울

똑똑한 하루 퀴즈

6 다음 □ 안에 들어갈 알맞은 낱말을 말 상자에서 찾아 모두 ○표를 하세요. 말 상자의 낱말은 가로, 세로, 대각선에 숨어 있어요.

가	정	용	체
양	☆	수	중
쪽	팔	철	계
전	자	저	☆
☆	기	☆	울

❶ 몸무게를 재는 데 쓰이는 저울. □□□

❷ 수평 잡기의 원리를 이용한 저울로 양쪽에 접시가 걸려 있음. □□□□

❸ 용수철의 성질을 이용한 □□□저울

❹ 전기적 성질을 이용해 화면에 숫자로 무게를 표시하는 □□저울

3주 마무리하기 _{핵심}

1 추 무게에 따른 용수철의 변화

① **추의 무게 때문에 나타나는 용수철의 길이 변화**
- 용수철에 걸어 놓은 추의 무게가 무거울수록 용수철은 많이 늘어납니다.
- 추의 무게가 무거울수록 지구가 끌어당기는 힘의 크기가 커지기 때문입니다.

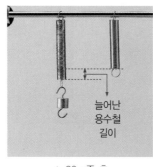 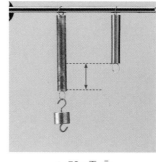 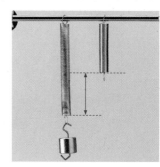

늘어난 용수철 길이

▲ 20 g중 추   ▲ 50 g중 추   ▲ 100 g중 추

생활에서 무게의 단위를 g, kg으로 줄여서 사용하기도 해.

② **물체의 무게**

무게의 뜻	지구가 물체를 끌어당기는 힘의 크기
무게의 단위	g중(그램중), kg중(킬로그램중), N(뉴튼) 등

지구가 추를 끌어당겨서 용수철이 늘어나.

지구가 추를 끌어당기는 힘의 크기가 크면 용수철은 더 많이 늘어나.

2 용수철저울

① **용수철의 성질** : 용수철에 걸어 놓은 추의 무게가 일정하게 늘어나면 용수철의 길이도 일정하게 늘어납니다.

② **용수철저울의 각 부분**

용수철저울의 사용 방법
1 스탠드에 용수철저울 걸기
2 영점 조절 나사를 돌려 표시 자를 눈금의 '0'에 맞추기
3 고리에 물체를 걸기
4 표시 자가 가리키는 눈금의 숫자를 단위와 같이 읽기

용수철

손잡이) 용수철저울을 잡거나 스탠드에 거는 부분

영점 조절 나사) 물체의 눈금을 측정하기 전에 표시 자를 눈금의 '0'에 오도록 조절하는 부분

표시 자) 물체를 걸었을 때 물체의 무게인 눈금을 가리키는 부분

눈금) 물체를 걸었을 때 표시 자가 가리키는 부분

고리) 추나 물체를 거는 부분

3 수평 잡기의 원리

물체를
받침점으로부터
각각 같은 거리에
올려놓을 때 기울어진
쪽이 무거워.

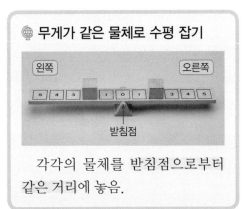

🌐 무게가 같은 물체로 수평 잡기

각각의 물체를 받침점으로부터 같은 거리에 놓음.

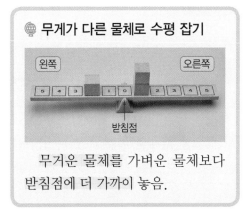

🌐 무게가 다른 물체로 수평 잡기

무거운 물체를 가벼운 물체보다 받침점에 더 가까이 놓음.

4 양팔저울과 다양한 저울

① **양팔저울** : 여러 가지 물체의 무게를 비교할 수 있습니다.

② **여러 가지 저울**

용수철의 성질을 이용한 저울	용수철저울, 가정용 저울, 체중계 등
수평 잡기의 원리를 이용한 저울	양팔저울, 윗접시저울 등
전기적 성질을 이용한 저울	전자저울 등

하루 뉴스

오늘은 여러 가지 전자저울에 대해 알아보겠습니다.

요리 재료를
재는 디지털 계량
스푼입니다.

약품 등을 재는
정밀 전자저울
입니다.

화물차에 실은
짐의 무게를 재는
전자저울입니다.

추 무게에 따른 용수철의 변화

1 다음 중 물체의 무게를 정확하게 측정하는 방법으로 옳은 것은 어느 것입니까? ( )

① 저울을 사용한다.

② 손으로 들어본다.

③ 물체의 길이를 측정한다.

④ 물체의 크기를 비교한다.

⑤ 물체를 이루고 있는 물질을 알아본다.

[2~3] 다음은 용수철에 무게가 다른 추 세 개를 각각 걸어 놓았을 때 용수철이 늘어난 모습입니다. 물음에 답하시오.

2 다음 중 위의 실험에서 용수철에 걸어 놓은 추의 무게가 가장 가벼운 것부터 순서대로 바르게 나타낸 것은 어느 것입니까? ( )

① ㉠, ㉡, ㉢

② ㉠, ㉢, ㉡

③ ㉡, ㉠, ㉢

④ ㉡, ㉢, ㉠

⑤ 알 수 없다.

3 다음 중 위의 실험에서 지구가 추를 끌어당기는 힘이 가장 센 경우는 어느 것입니까?

( )

① ㉠

② ㉡

③ ㉢

④ 모두 같다.

⑤ 알 수 없다.

4 다음은 물체의 무게에 대한 설명입니다. ☐ 안에 들어갈 알맞은 말을 쓰시오.

물체의 무게는 ❶ ☐ 이/가 물체를 끌어당기는 힘의 ❷ ☐ 입니다.

❶ ( ) ❷ ( )

2일 용수철저울

5 다음은 추의 무게에 따라 늘어난 용수철의 길이를 나타낸 것입니다. 이에 대한 설명으로 옳지 <u>않은</u> 것은 어느 것입니까? (　　　)

추의 무게(g중)	0	20	40	60
늘어난 용수철의 길이(cm)	0	3	6	9

① 추 20 g중당 늘어난 용수철의 길이는 3 cm이다.

② 추 20 g중당 늘어난 용수철의 길이가 일정하다.

③ 추의 무게와 늘어난 용수철의 길이는 아무런 관계가 없다.

④ 추의 무게가 80 g중일 때 늘어난 용수철의 길이는 12 cm이다.

⑤ 용수철에 걸어 놓은 추의 무게가 일정하게 늘어나면 용수철의 길이도 일정하게 늘어난다.

6 다음 중 오른쪽 저울에 이용한 용수철의 성질로 옳은 것은 어느 것입니까? (　　　)

① 힘의 종류에 따라 모양이 변한다.

② 물체의 무게에 따라 길이가 변하지 않는다.

③ 물체의 무게에 따라 길이가 일정하게 변한다.

④ 물체의 무게에 따라 굵기가 일정하게 변한다.

⑤ 물체의 무게에 따라 늘어난 길이는 줄어들지 않는다.

▲ 가정용 저울

7 다음은 용수철저울의 사용 방법입니다. □ 안에 알맞은 용수철저울 부분의 이름을 쓰시오.

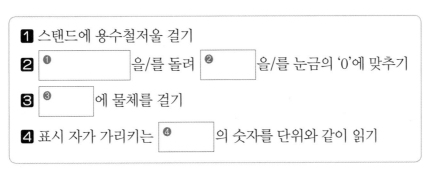

1 스탠드에 용수철저울 걸기

2 ^❶　　　　을/를 돌려 ^❷　　　　을/를 눈금의 '0'에 맞추기

3 ^❸　　　　에 물체를 걸기

4 표시 자가 가리키는 ^❹　　　　의 숫자를 단위와 같이 읽기

손잡이
영점 조절 나사
용수철
표시 자
눈금
고리

3일 수평 잡기

8 다음은 받침대의 왼쪽 나무판자 ⑤에 나무토막 한 개를 올려놓은 모습입니다. 오른쪽 나무판자 ⑤에 나무토막 한 개를 올려놓으면 나무판자는 어떻게 되는지 바르게 설명한 것은 어느 것입니까? (단, 나무토막의 무게는 같습니다.) (   )

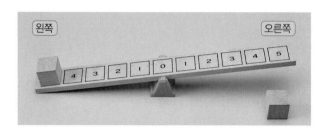

① 나무판자는 수평을 이룬다.　　② 나무판자는 왼쪽으로 기운다.

③ 나무판자는 오른쪽으로 기운다.　　④ 나무판자는 오르락내리락 한다.

⑤ 알 수 없다.

서술형

9 다음은 무게가 다른 두 물체를 나무판자의 왼쪽과 오른쪽에 각각 올려놓은 모습입니다.

(1) 위 ㉠과 ㉡ 나무토막 중 더 무거운 것의 기호를 쓰시오. (   )

(2) 위 나무판자가 수평을 잡으려면 어떻게 해야 하는지 쓰시오.

_____

_____

10 다음은 친구들이 시소로 수평을 잡은 모습입니다. 가장 무거운 친구의 이름을 쓰시오.

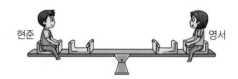

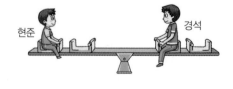

(   )

11 다음 양팔저울의 모습을 보고, 세 물체의 무게를 >, =, <로 비교하시오.

풀

가위

지우개

풀 (　　　　　　) 가위 (　　　　　　) 지우개

12 다음 중 저울에 이용된 성질이 나머지 셋과 다른 하나는 어느 것입니까? (　　　　)

① 　② 　③ 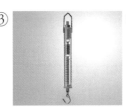　④

▲ 체중계　　　　▲ 전자저울　　　　▲ 용수철저울　　　　▲ 가정용 저울

 **똑똑한 하루 퀴즈**

13 다음 십자말 풀이를 해 보세요.

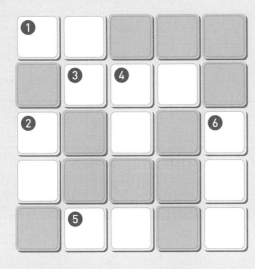

→가로

❶ 지구가 물체를 끌어당기는 힘의 크기
❸ 가정용 저울은 □□□의 성질을 이용한 저울임.
❺ 무게를 재는 데 쓰는 기구

↓세로

❷ 양쪽에 접시를 걸어서 무게를 비교하는 저울. □□저울
❹ 어느 한쪽으로 기울지 않은 상태
❻ 용수철저울에 물체를 걸었을 때 눈금을 가리키는 것

1 다음은 우리 생활에서 물체의 무엇을 정확하게 측정하는 경우인지 쓰시오.

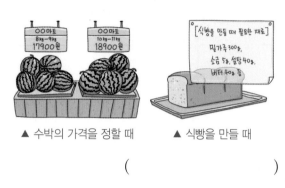

▲ 수박의 가격을 정할 때   ▲ 식빵을 만들 때

(   )

2 다음 중 용수철에 추를 걸어 놓았을 때 용수철의 늘어난 길이가 가장 긴 경우는 어느 것인지 기호를 쓰시오.

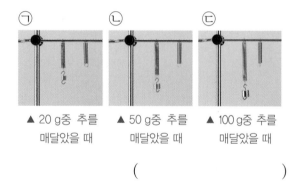

▲ 20 g중 추를   ▲ 50 g중 추를   ▲ 100 g중 추를
매달았을 때   매달았을 때   매달았을 때

(   )

3 다음은 위 2번과 같이 추의 무게에 따라 늘어난 용수철의 길이가 다른 까닭입니다. ( ) 안의 알맞은 말에 ○표를 하시오.

지구가 추를 끌어당기는 힘의 (크기 / 방향)이/가 다르기 때문입니다.

4 다음은 용수철에 걸어 놓은 추의 무게에 따라 늘어난 용수철의 길이를 나타낸 표를 보고 알게 된 점입니다. ( ) 안에 들어갈 알맞은 숫자는 어느 것입니까? (   )

추의 무게 (g중)	0	20	40	60	80
늘어난 용수철의 길이(cm)	0	3	6	9	12

추의 무게가 (㉠) g중씩 늘어날 때마다 용수철의 길이는 (㉡) cm씩 늘어납니다.

	㉠	㉡			㉠	㉡
①	20	3		②	3	20
③	30	3		④	3	30

⑤ 알 수 없다.

5 다음은 용수철저울입니다. 각 부분의 역할에 해당하는 부분의 기호를 쓰시오.

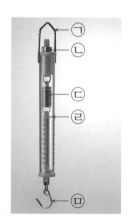

(1) 물체를 걸었을 때 물체의 무게를 가리키는 부분   (   )

(2) 표시 자를 눈금의 '0'의 위치에 오도록 조절하는 부분   (   )

6 다음의 수평대에서 무게가 같은 나무토막으로 수평을 잡으려고 합니다. 받침대의 왼쪽 나무판자 ③에 나무토막 한 개를 올려놓을 때, 받침대의 오른쪽 나무판자에 올려놓을 위치로 옳은 것은 어느 것입니까? (   )

① 오른쪽 ①   ② 오른쪽 ②

③ 오른쪽 ③   ④ 오른쪽 ④

⑤ 오른쪽 ⑤

7 다음의 수평대에서 무게가 다른 나무토막을 받침대의 왼쪽과 오른쪽 나무판자의 같은 위치에 올려놓으면 어떻게 되는지 바르게 설명한 것은 어느 것입니까? (   )

① 나무판자는 수평을 이룬다.

② 나무판자는 오르락내리락 한다.

③ 나무판자는 왼쪽으로 기울어진다.

④ 나무판자는 오른쪽으로 기울어진다.

⑤ 알 수 없다.

8 다음은 두 친구가 시소를 타는 모습입니다. 이에 대한 설명으로 옳은 것을 두 가지 고르시오.

(,   )

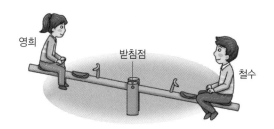

① 영희가 더 무겁다.

② 철수가 더 무겁다.

③ 영희와 철수의 몸무게는 같다.

④ 영희가 받침점에 더 가까이 앉으면 수평을 잡을 수 있다.

⑤ 철수가 받침점에 더 가까이 앉으면 수평을 잡을 수 있다.

9 다음은 양팔저울로 여러 가지 물체의 무게에 해당하는 클립의 수를 세어 본 결과입니다. ㉠~㉣ 물체의 무게를 >, =, <로 비교하시오.

물체	㉠	㉡	㉢	㉣
클립의 수(개)	20	14	36	14

(   )

10 수평 잡기의 원리를 이용한 저울의 예를 한 가지 쓰시오.

(   )

3 주 특강

생활 속 과학

중력과 무게의 관계를 통해 무게의 의미를 살펴봅니다.

중력과 무게

손에 들고 있던 수박을 놓으면 지구 중심 방향을 향해 아래로 떨어져요. 지구와 물체 사이에는 서로 끌어당기는 힘이 있기 때문이에요. 이러한 힘을 중력이라고 합니다.

지구가 수박을 끌어당기는 힘이 중력이야.

무거울수록 지구가 끌어당기는 힘이 커져.

물체의 무게는 지구가 물체를 끌어당기는 힘의 크기예요. 무게의 단위는 g중(그램중)이나 kg중(킬로그램중)인데, 이때 '중'은 중력과 관련 있어요.

g이나 kg은 물체를 이루는 물질의 양을 나타내는 '질량'의 단위야.

무게는 장소에 따라 변하기도 해요.

달은 물체를 끌어당기는 힘이 지구보다 $\frac{1}{6}$ 정도 작아요.

그래서 달에서 무게를 재면 지구보다 $\frac{1}{6}$ 정도로 줄어들어요.

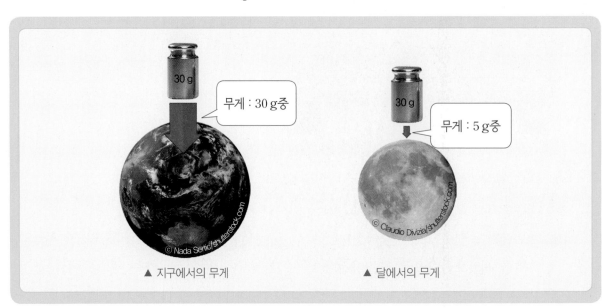

무게 : 30 g중

무게 : 5 g중

▲ 지구에서의 무게   ▲ 달에서의 무게

1 다음 붙임쪽지의 ○ 안에 들어갈 낱말을 아래 큐브에서 찾아 모두 ○표를 하세요. 말 상자의 낱말은 가로, 세로, 대각선에 숨어 있어요.

❶ 무게의 단위는 ○ ○ 이다.

❷ g중(그램중)의 '중' 은 ○○과 관련 있다.

❸ 지구가 물체를 끌어 당기는 힘의 크기는 ○ ○이다.

❹ 물체를 이루는 물질의 양을 ○○이라고 한다.

❺ 지구에서 잰 무게와 달에서 잰 무게는 ○ ○ ○.

사고 쑥쑥

용수철저울 사용 방법과 용수철저울 각 부분을 살펴봅니다.

2 다음은 용수철저울 각 부분의 퍼즐 조각입니다. 용수철저울 사용 방법의 밑줄 친 부분에 해당하는 퍼즐 조각을 찾아 □ 안에 번호를 쓰세요.

> **용수철저울 사용 방법**
> **❶** 스탠드에 용수철저울의 <u>손잡이</u>를 겁니다.
> **❷** <u>영점 조절 나사</u>를 돌려 영점을 맞춥니다.
> **❸** 용수철저울의 <u>고리</u>에 물체를 겁니다.
> **❹** <u>표시 자</u>가 가리키는 눈금의 숫자를 단위와 같이 읽습니다.

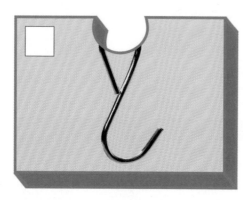

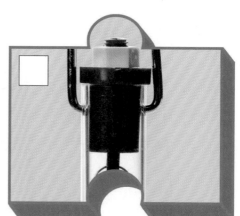

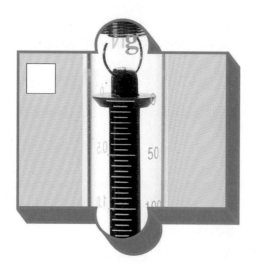

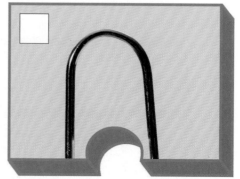

시소 놀이를 통해 여러 가지 물체의 무게를 비교하는 방법을 살펴봅니다.

3 세윤이네 반 친구들이 시소 놀이를 하고 있어요.

(1) 몸무게가 가장 많이 나가는 친구는 누구인지 이름을 쓰시오.

(   )

(2) 두리와 나래가 마지막 장면처럼 시소 놀이를 한다면 어떻게 될지 쓰시오.

(   )

논리 탄탄

탐구 수행을 통해 무게에 따라 늘어난 용수철의 길이의 관계를 살펴봅니다.

4 다음과 같이 탐구를 수행하면서 추의 무게와 늘어난 용수철의 길이 사이의 규칙성을 찾아 쓰세요.

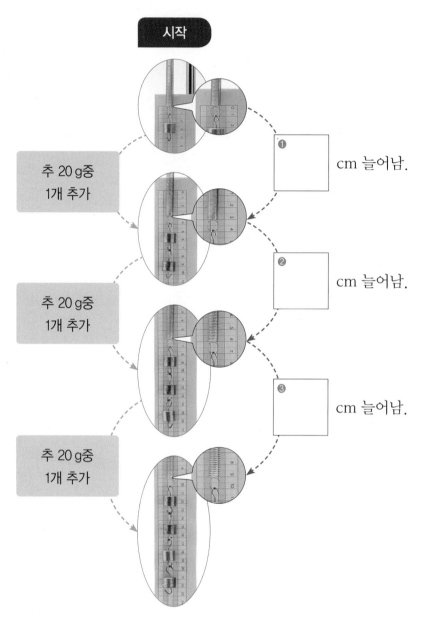

시작

추 20 g중
1개 추가

❶ [   ] cm 늘어남.

추 20 g중
1개 추가

❷ [   ] cm 늘어남.

추 20 g중
1개 추가

❸ [   ] cm 늘어남.

추의 무게와 늘어난 용수철의 길이 사이의 규칙성

추의 무게가 20 g중씩   →   용수철의 길이도 ❹(   ) cm씩
일정하게 늘어나면   일정하게 ❺(   ).

기준을 선택하여 정렬하는 방법을 통해 여러 가지 물체의 무게를 비교해 봅니다.

5 물병 5개에 각각 다른 양의 물이 들어 있어요. 기준 물병을 선택하여 양팔저울을 사용해 ㉠~㉤ 물병의 무게를 비교하려고 해요. 무거운 순서대로 물병의 기호를 쓰세요. (단, 한 번에 2개씩 비교할 수 있습니다.)

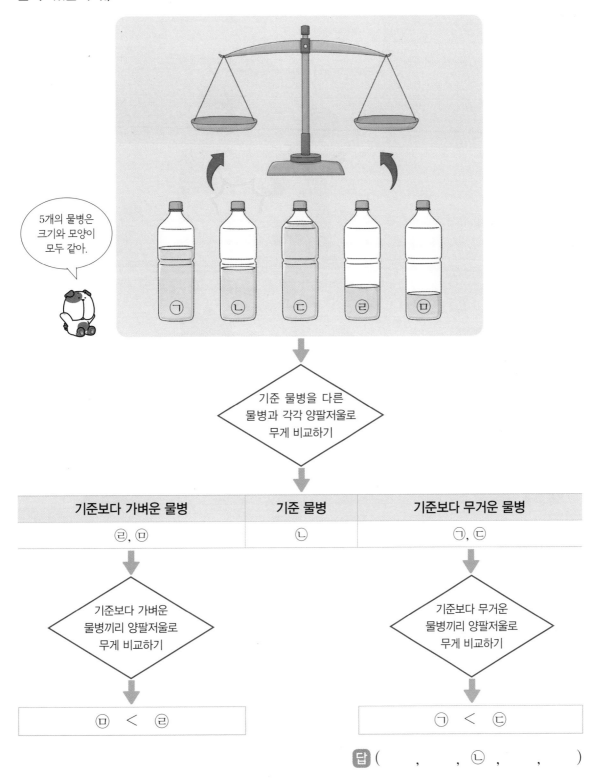

5개의 물병은 크기와 모양이 모두 같아.

기준 물병을 다른 물병과 각각 양팔저울로 무게 비교하기

기준보다 가벼운 물병	기준 물병	기준보다 무거운 물병
㉣, ㉤	㉡	㉠, ㉢

기준보다 가벼운 물병끼리 양팔저울로 무게 비교하기

기준보다 무거운 물병끼리 양팔저울로 무게 비교하기

㉤ < ㉣

㉠ < ㉢

답 (　　,　　, ㉡ ,　　,　　)

혼합물의 분리

이번 주에는 무엇을 공부할까? ❶

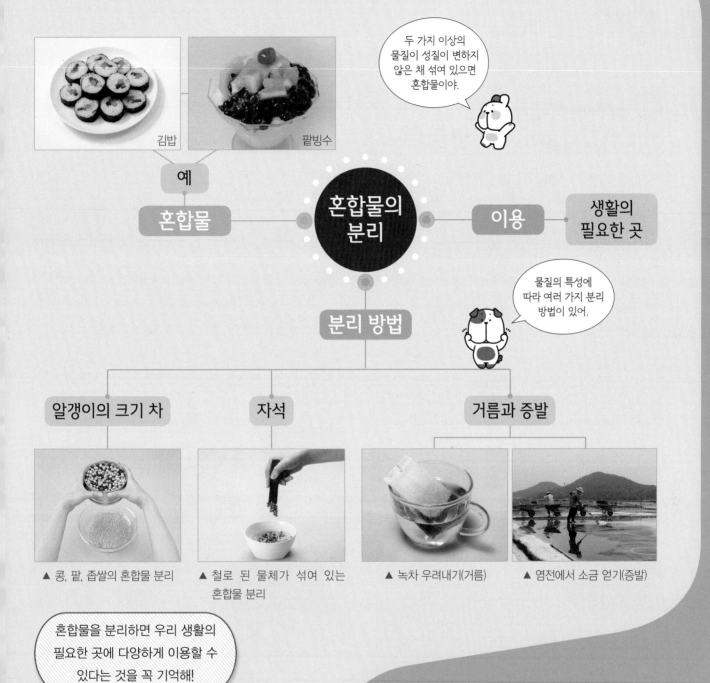

두 가지 이상의 물질이 성질이 변하지 않은 채 섞여 있으면 혼합물이야.

예

혼합물

김밥

팥빙수

혼합물의 분리

이용

생활의 필요한 곳

물질의 특성에 따라 여러 가지 분리 방법이 있어.

분리 방법

알갱이의 크기 차

자석

거름과 증발

▲ 콩, 팥, 좁쌀의 혼합물 분리

▲ 철로 된 물체가 섞여 있는 혼합물 분리

▲ 녹차 우려내기(거름)

▲ 염전에서 소금 얻기(증발)

혼합물을 분리하면 우리 생활의 필요한 곳에 다양하게 이용할 수 있다는 것을 꼭 기억해!

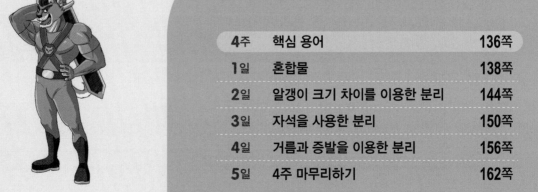

4주  핵심 용어

이번 주에는 무엇을 공부할까? ❷

혼합물

混 合 物

섞을 **혼** 모을 **합** 물건 **물**

뜻 두 가지 이상의 물질이 성질이 변하지 않은 채 서로 섞여 있는 것

예 공기는 눈에 보이지 않지만 질소, 산소, 이산화 탄소 등 여러 가지 기체가 섞여 있는 **혼합물**이에요.

분리

흰자만 분리해서 떨어뜨려.

分 離

나눌 **분** 떠날 **리**

뜻 혼합물을 각 성분 물질로 나누는 것

예 빵 반죽을 할 때는 우선 달걀 흰자만 **분리**해서 거품을 내야 해요.

물질의 특성에 따라 혼합물을 분리하는 방법이 달라.

체

체를 통과한 가루는 매우 고와.

뜻 가루를 곱게 치거나 액체를 받거나 거르는 데 쓰는 기구

예 빵을 만들 때 밀가루를 **체**로 쳐서 내려요.

자석

磁 石

자석 **자** 돌 **석**

뜻 철을 끌어당기는 물체

예 과일 모양 장식품 뒤에 **자석**이 있어 냉장고에 붙었어요.

혼합물의 분리와 관련한 다양한 용어가 있어.
특히 거름, 증발 등의 용어는 꼭 기억해!

거름

물에 녹지 않는 물질은 거름종이 위에 남아.

뜻 찌꺼기나 건더기가 있는 액체를 체나 거름종이에 밭쳐서 액체만 받아냄.

예 혼합물에서 물에 녹는 물질은 **거름**종이를 통과해요.

증발

蒸 發
찔 **증** 필 **발**

뜻 액체의 표면에서 액체가 기체로 변하는 현상

예 마당에 뿌린 물이 모두 **증발**되었어요.

4
주

염전

鹽 田
소금 **염** 밭 **전**

뜻 바닷물을 끌어들여 햇빛에 증발시켜 소금을 얻기 위해 논처럼 만든 곳

예 우리나라 서해안의 **염전**에서 생산되는 천일염은 품질이 좋기로 유명해요.

혼합물

혼합물에서 금만 빼내야 해!

저벅 저벅

기분이 왠지 으스스해.

푸하하하~ 겁쟁이!

크크

팡 꺄아아

너야말로 겁쟁이네. 저건 금이잖아.

크크

정말?

이 단계까지 왔으니 아이템이 금으로 지급되는 거야.

와~ 그럼 금을 팔아서 무기를 사야지!

하하

그런데 문제가 있어.

그게 뭔데?

금이 자갈 모래 등 여러 **혼합물** 속에 섞여 있어.

용어 체크

혼합물

두 가지 이상의 물질이 성질이 변하지 않은 채 서로 섞여 있는 것

예 팥빙수는 과일, 팥, 우유, 얼음 등을 섞어서 만든 [❶ ____]이다.

▲ 팥빙수

정답 ❶ 혼합물

분리를 어떻게 하지?

그건 나에게 맡겨!

◎ 분리는 내가 전문이라고!

너무 단단히 박혀서 빼낼 수가 없어.

아 진짜, 그 까짓 금하나 획득 못했다고 울고 그래!

엄마한테 금을 조금이라도 드리고 싶었단 말이야.

엄마 생각나서 그런 거야?

아마 그랬다면 내가 하루 종일 게임만 해도 구박하지 않을 텐데…….

그럼 그렇지, 공부하기 싫어서 거래를 하려는 거였어.

네가 날 얼마나 잘 안다고 그래!

아마 세상 누구보다 잘 알걸?

용어 체크

◎ **분리**

혼합물을 각 성분 물질로 나누는 것

例 • 재활용 쓰레기는 반드시 [❶　　　] 해서 버려야 한다.

• 옷을 세탁할 때 색깔이 있는 옷은 따로 [❷　　　] 해야 한다.

分	離
나눌	떠날
분	리

정답 ❶ 분리 ❷ 분리

1 김밥과 팥빙수에는 몇 가지 재료가 들어갈까?

> 김밥 속에는 김, 밥, 단무지, 달걀, 당근, 시금치 등이 들어 있어.

> 팥빙수 속에는 과일, 팥, 얼음 등이 들어 있어.

☑ 김밥과 팥빙수는 ❶(한 가지 / 두 가지 이상)의 재료로 만들어졌습니다.

2 간식 속에 들어간 여러 가지 재료를 어떻게 알 수 있을까?

시리얼

초콜릿

건포도

말린 바나나

▲ 여러 가지 재료를
만든 간식

> 여러 가지를 섞어도 각 재료의 맛은 변하지 않아.

> 멸치볶음, 샌드위치, 나박김치, 바닷물 등도 혼합물이야.

두 가지 이상의 물질이 성질이 변하지 않은 채 서로 섞여 있는 것을 **혼합물**이라고 함.

☑ 여러 가지 재료를 섞어 간식을 만들 때, 각 재료의 성질은 섞이기 전과 ❷(같습 / 다릅)니다.

3 혼합물을 분리하면 좋은 점은 무엇일까?

 실험 동영상

🧪 구슬로 나만의 팔찌를 만들기

구슬 혼합물		종류별로 분리된 구슬		내가 만든 팔찌
	분리		이용	

> 원하는 구슬들을 분리하여 두면 팔찌를 쉽게 만들 수 있어.

🧪 사탕수수의 분리와 설탕의 이용

사탕수수		설탕		사탕
	분리		이용	

> 분리된 설탕을 다양한 물질과 섞어 여러 가지 물질을 만들 수 있어.

- 혼합물을 분리하면 원하는 물질을 얻을 수 있음.
- 분리한 물질을 우리 생활의 필요한 곳에 효과적으로 이용함.

☑️ 사탕수수를 분리하면 ③(소금 / 설탕)을 얻을 수 있고, 이를 사탕, 과자 등의 재료로 이용할 수 있습니다.

정답 ❶ 두 가지 이상 ❷ 같습 ❸ 설탕

🐻 개념 체크

◦ 정답과 풀이 13쪽

1 혼합물은 ☐ 가지 이상의 물질이 성질이 변하지 않은 채 섞여 있습니다.

2 김밥, 설탕 중 혼합물은 ☐☐ 입니다.

3 ☐☐☐ 을 분리하면 원하는 물질을 얻을 수 있습니다.

보기
- 한
- 두
- 김밥
- 설탕
- 혼합물
- 순물질

1 다음의 ㉠~㉢ 중 김, 단무지, 당근 등을 섞어서 만든 음식을 골라 기호를 쓰시오.

㉠
▲ 김밥

㉡
▲ 나박김치

㉢
▲ 각설탕

(   )

2 오른쪽 여러 가지 재료를 섞어 만든 간식에 대하여 바르게 설명한 친구의 이름을 쓰시오.

> 유정 : 한 가지 재료로 만들어졌어.
> 재민 : 시리얼, 건포도 등이 들어 있는 혼합물이야.
> 준호 : 간식에 들어 있는 각 재료의 성질은 섞이기 전과 달라.

(   )

3 다음은 혼합물에 대한 설명입니다. (   ) 안의 알맞은 말에 ○표 하시오.

> 두 가지 이상의 물질이 (모양 / 성질)이 변하지 않은 채 서로 섞여 있는 것을 혼합물 이라고 합니다.

4 다음 중 혼합물이 <u>아닌</u> 것은 어느 것입니까? (   )

① 공기   ② 김밥   ③ 설탕
④ 팥빙수   ⑤ 바닷물

5 다음과 같이 사탕수수에서 분리한 물질로 사탕을 만들 때 □ 안에 들어갈 알맞은 물질의 이름을 쓰시오.

▲ 사탕수수　　　　　　　　▲ □　　　　　　　　▲ 사탕

(　　　　　　　　)

집중 **연습 문제** 　**혼합물을 분리하면 좋은 점**

6 오른쪽과 같이 구슬을 종류별로 보관해 두고 팔찌를 만들 때, 좋은 점으로 옳은 것에 ○표를 하시오.

(1) 필요한 구슬을 찾기 쉽습니다. 　　　　(　　　)

(2) 필요한 구슬을 집기 어렵습니다. 　　　(　　　)

(3) 팔찌를 만드는 데 걸리는 시간이 길어집니다. (　　　)

> 구슬을 종류별로 분류하는 것은 혼합물을 분리하는 과정이야.

7 다음 보기 에서 혼합물을 분리하면 좋은 점으로 옳지 <u>않은</u> 것을 골라 기호를 쓰시오.

보 기

㉠ 필요한 물질을 얻을 수 있습니다.
㉡ 필요한 물질은 그대로만 이용할 수 있습니다.
㉢ 분리한 물질을 우리 생활의 필요한 곳에 이용할 수 있습니다.

(　　　　　　　　)

> 혼합물을 분리하면 원하는 물질을 얻어 필요한 곳에 이용할 수 있어.

알갱이 크기 차이를 이용한 분리

체를 통해 어떻게 빠져나가지?

용어 체크

체

가루를 곱게 치거나 액체를 받거나 거르는 데 쓰는 기구

예 도넛을 만들려면 우선 가는 ① [　　　] 에 밀가루를 내려야 한다.

▲ 밀가루를 체로 쳐서 내림.

정답 ① 체

체 눈보다 작아야 한다고?

용어 체크

눈

그물이나 체에 있는 구멍

예 분리하려는 고체 알갱이의 크기와 체의 [①] 크기를

잘 살펴서 체를 선택한다.

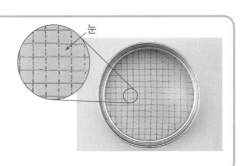

눈

정답 ① 눈

1 콩, 팥, 좁쌀의 혼합물은 어떻게 분리할까?

눈의 크기가 다른 두 종류의 체가 필요해.

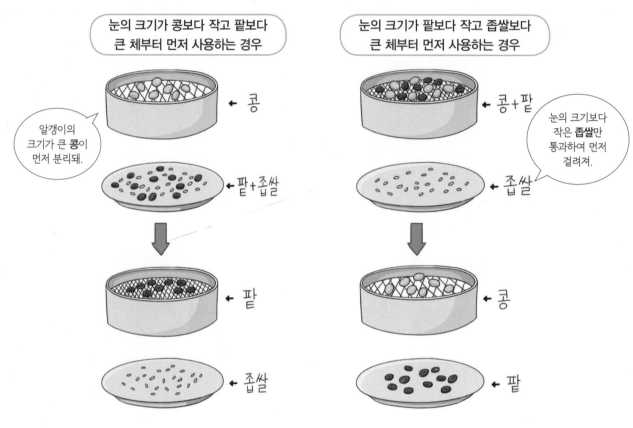

눈의 크기가 콩보다 작고 팥보다 큰 체부터 먼저 사용하는 경우

눈의 크기가 팥보다 작고 좁쌀보다 큰 체부터 먼저 사용하는 경우

← 콩

알갱이의 크기가 큰 콩이 먼저 분리돼.

← 팥+좁쌀

← 콩+팥

눈의 크기보다 작은 **좁쌀**만 통과하여 먼저 걸려져.

← 좁쌀

← 팥

← 콩

← 좁쌀

← 팥

🧪 콩, 팥, 좁쌀의 혼합물을 손으로 분리할 때와 체로 분리할 때의 차이점

▲ 시간이 오래 걸리고 좁쌀은 손으로 집기 어려움.

▲ 빠른 시간 내에 원하는 물질을 효과적으로 분리할 수 있음.

☑️ 콩, 팥, 좁쌀의 혼합물은 눈의 크기가 다른 ❶(한 / 두) 개의 체를 사용하여 분리합니다.

알갱이 크기 차이를 이용한 분리

2 알갱이의 크기 차이를 이용하여 혼합물을 분리하는 경우를 알아볼까?

해변 쓰레기 수거 장비

모래와 진흙은 빠져나가고 재첩만 잡을 수 있어.

모래와 진흙 속에 사는 재첩 잡기

체의 눈 크기보다 작은 모래와 체의 눈 크기보다 큰 철 조각, 동전, 조개 껍데기 등을 분리하여 쓰레기를 수거해.

알갱이의 크기가 작은 모래는 체를 빠져 나가고 자갈은 남아.

체로 모래와 자갈 분리하기

✓ ❷(자석 / **체**)을/를 사용하여 모래와 자갈을 분리할 수 있습니다.

정답 ❶ 두 ❷ 체

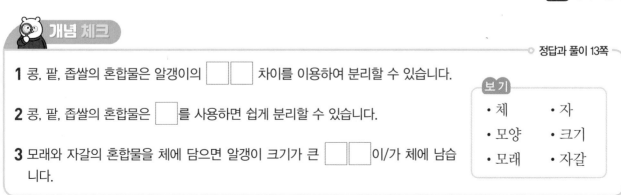

개념 체크

정답과 풀이 13쪽

1 콩, 팥, 좁쌀의 혼합물은 알갱이의 ☐☐ 차이를 이용하여 분리할 수 있습니다.

2 콩, 팥, 좁쌀의 혼합물은 ☐를 사용하면 쉽게 분리할 수 있습니다.

3 모래와 자갈의 혼합물을 체에 담으면 알갱이 크기가 큰 ☐☐이/가 체에 남습니다.

보기
• 체   • 자
• 모양   • 크기
• 모래   • 자갈

1 다음 중 콩, 팥, 좁쌀의 혼합물을 분리할 때 필요한 도구를 골라 기호를 쓰시오.

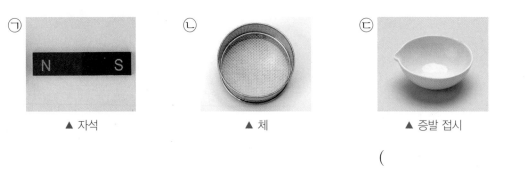

▲ 자석   ▲ 체   ▲ 증발 접시

(   )

2 콩, 팥, 좁쌀의 혼합물 분리에 사용할 체를 고를 때 생각해야 할 점을 두 가지 고르시오.

(,   )

① 체의 색깔   ② 체의 눈 크기

③ 알갱이의 색깔   ④ 알갱이의 크기

⑤ 알갱이의 모양

3 다음 보기에서 콩, 팥, 좁쌀의 혼합물을 분리하는 데 이용할 수 <u>없는</u> 체를 골라 기호를 쓰시오.

보기
㉠ 눈의 크기가 콩보다 큰 체
㉡ 눈의 크기가 콩보다 작고 팥보다 큰 체
㉢ 눈의 크기가 팥보다 작고 좁쌀보다 큰 체

(   )

4 콩, 팥, 좁쌀의 혼합물에서 콩만 분리하려고 할 때 필요한 체의 조건에 맞게 다음 ㉠, ㉡에 들어갈 알맞은 말을 각각 쓰시오.

| ㉠ | > 체의 눈 > | ㉡ |

㉠ (   ) ㉡ (   )

알갱이 크기 차이를 이용한 분리

5 다음과 같은 경우 혼합물을 분리할 때 이용하는 성질로 옳은 것은 어느 것입니까?

(   )

▲ 해변 쓰레기 수거 장비

▲ 강가에서 진흙과 재첩을 분리하기

① 알갱이의 모양 차이　　　　　② 알갱이의 색깔 차이

③ 알갱이의 무게 차이　　　　　④ 알갱이의 크기 차이

⑤ 알갱이의 촉감 차이

6 다음은 모래와 자갈을 분리하는 방법입니다. ㉠, ㉡에 들어갈 알맞은 말을 각각 쓰시오.

> 모래와 자갈의 혼합물을 체에 담으면 알갱이의 크기가 큰　㉠　은/는 체에 남고, 알갱이의 크기가 작은　㉡　은/는 체를 빠져나와 분리됩니다.

㉠ (   ) 　㉡ (   )

똑똑한 **하루 퀴즈**

7 다음 □ 안에 들어갈 알맞은 낱말을 말 상자에서 찾아 모두 ○표를 하세요. 말 상자의 낱말은 가로, 세로, 대각선에 숨어 있어요.

☆	고	용	팥
수	재	체	☆
첩	소	물	크
좁	☆	기	액
콩	쌀	색	깔

❶ 콩, 팥, 좁쌀 중 알갱이 크기가 가장 작은 것. □□
❷ 알갱이 크기가 다른 □□ 혼합물은 체를 사용하여 쉽게 분리할 수 있음.
❸ 진흙 속의 재첩은 알갱이 □□ 차이를 이용하여 분리할 수 있음.

자석을 사용한 분리

 자석이 검을 끌어당겨?

 용어 체크

⦿ 자석

철을 끌어당기는 물체

예 ①[　　　]에 쇠붙이가 절거덕 들러붙는다.

자석 →

납작못
(철)

▲ 자석에 붙은 납작못

정답 ① 자석

 ## 자석에 붙는 물질은?

4
주

 용어 체크

철

은백색의 고체로 금속이며, 자석에 붙는 성질이 있음.

예 **❶** [   ]로 만들어진 다리가 오래되어서 녹슬었다.

폐건전지

다 써서 버리는 건전지

예 환경 보호를 위해 **❷** [   ]를 분리 수거하여 버려야 한다.

정답 ❶ 철 ❷ 폐건전지

실험 동영상

1 플라스틱 구슬과 철 구슬의 특징을 비교해 볼까?

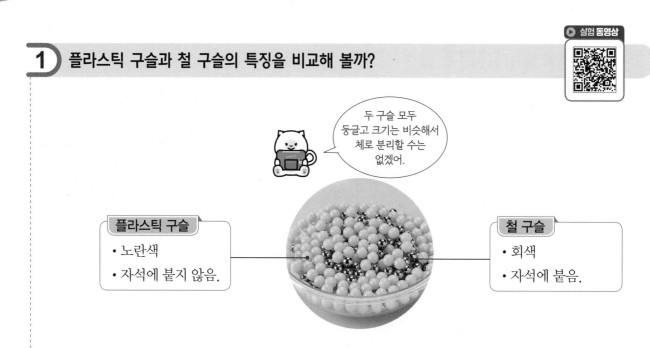

두 구슬 모두 둥글고 크기는 비슷해서 체로 분리할 수는 없겠어.

플라스틱 구슬
• 노란색
• 자석에 붙지 않음.

철 구슬
• 회색
• 자석에 붙음.

✔ 철 구슬과 플라스틱 구슬은 크기가 비슷하며 ❶(둥근 / 네모) 모양입니다.

2 플라스틱 구슬과 철 구슬을 분리하려면 어떻게 해야 할까?

자석

N   S

플라스틱 구슬과 철 구슬의 혼합물에 자석을 대면 철 구슬만 붙어서 분리돼.

혼합물에 철로 된 물질이 있으면 **철이 자석에 붙는 성질을** 이용해 분리해.

플라스틱 구슬

철 구슬

✔ 플라스틱 구슬과 철 구슬의 혼합물은 ❷(플라스틱 / 철) 구슬이 자석에 붙는 성질을 이용하여 분리합니다.

3 자석을 사용하여 혼합물을 분리하는 경우를 알아볼까?

서랍 안에 다른 물체들과 섞여 있는 납작못의 분리

철로 된 납작못만 자석에 붙어서 분리돼.

철 캔과 알루미늄 캔의 분리

캔을 자동 분리기에 넣으면 자석이 들어 있는 위쪽 이동판에 철 캔만 붙어서 분리돼.

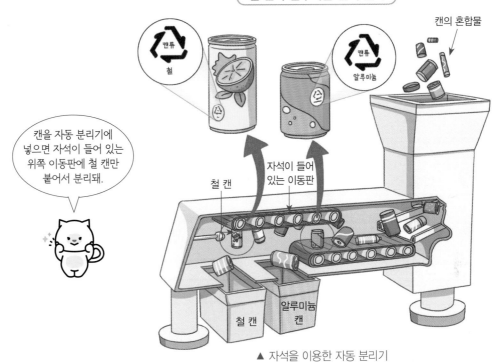

▲ 자석을 이용한 자동 분리기

✔️ 캔을 자석이 있는 자동 분리기에 넣으면 ❸(철 / 알루미늄) 캔만 자석에 붙어 분리됩니다.

정답 ❶ 둥근 ❷ 철 ❸ 철

🐼 **개념 체크**

◦ 정답과 풀이 14쪽

1 플라스틱 구슬과 철 구슬은 크기가 비슷하여 체로 분리할 수 ☐ 습니다.

2 플라스틱 구슬과 철 구슬의 혼합물을 분리할 때 필요한 도구는 ☐☐ 입니다.

3 서랍 안에 다른 물체들과 섞여 있는 납작못은 ☐☐ 으로 쉽게 분리할 수 있습니다.

보기
• 있   • 없
• 집게   • 비커
• 자석   • 헝겊

[1~3] 오른쪽은 크기가 비슷한 플라스틱 구슬과 철 구슬의 혼합물입니다. 물음에 답하시오.

1 다음 보기에서 위의 혼합물을 분리할 때 이용할 수 있는 도구를 골라 기호를 쓰시오.

▲ 비커   ▲ 체   ▲ 자석

(   )

2 다음 중 위의 혼합물을 분리할 때 이용할 수 있는 성질로 적당한 것에 ○표를 하시오.

(1) 알갱이의 크기 차이   (   )

(2) 철이 자석에 붙는 성질   (   )

(3) 물에 녹는 성질과 녹지 않는 성질   (   )

3 위의 혼합물을 체를 사용하여 분리할 수 없는 까닭을 가장 바르게 설명한 친구의 이름을 쓰시오.

> 소예 : 철 구슬이 섞여 있기 때문이야.
> 민호 : 알갱이이 색깔이 다르기 때문이야.
> 은찬 : 알갱이의 크기가 비슷하기 때문이야.

(   )

4 다음은 혼합물의 분리 방법에 대한 설명입니다. (   ) 안의 알맞은 말에 ○표를 하시오.

> 말린 고춧가루에 섞여 있는 (모래 / 철 가루)는 자석으로 분리할 수 있습니다.

5 다음과 같이 혼합물을 분리할 때 공통으로 사용할 수 있는 것은 무엇인지 쓰시오.

> • 폐건전지를 가루로 만든 뒤 철을 분리할 때
> • 서랍 안에 다른 물체들과 섞여 있는 납작못을 분리할 때

(   )

6 오른쪽은 철 캔과 알루미늄 캔의 자동 분리기입니다. ㉠과 ㉡ 중에서 자석이 들어 있는 이동판을 골라 기호를 쓰시오.

(   )

집중 **연습 문제** **자석으로 분리할 수 있는 혼합물**

7 다음 중 흙 속에 섞여 있는 철 가루를 분리하기에 가장 적당한 방법은 어느 것입니까? (   )

① 체로 분리한다.   ② 냉동실에 얼린다.

③ 자석을 사용한다.   ④ 센 불로 가열한다.

⑤ 거름종이로 거른다.

흙과 철가루는 알갱이 크기가 비슷해.

8 다음 보기에서 자석을 사용하여 분리할 수 있는 혼합물을 골라 기호를 쓰시오.

> 보기
>
> ㉠ 소금물에서 소금을 분리할 때
> ㉡ 모래와 자갈의 혼합물을 분리할 때
> ㉢ 식품 속에 섞여 있는 철 가루를 분리할 때

철이 포함된 혼합물을 찾아봐.

(   )

거름과 증발을 이용한 분리

 거름종이로 걸러진 물질은?

 용어 체크

거름

찌꺼기나 건더기가 있는 액체를 체나 거름종이에 밭쳐서 액체만 받아냄.

예 물에 녹는 소금과 물에 녹지 않는 모래의 혼합물은 ❶ [　　　　] 장치로 분리한다.

▲ 거름 장치

정답 ❶ 거름

4
주

🐻 바닷물을 증발시키면 소금이 나온다고?

🐻 **용어 체크**

📍 **증발**
액체의 표면에서 액체가 기체로 변하는 현상

예 젖은 수건의 물기가 [❶] 하여 바짝 말랐다.

📍 **염전**
바닷물을 끌어들여 햇빛에 증발시켜 소금을 얻기 위해 논처럼 만든 곳

예 [❷] 에서 바닷물을 증발시켜 소금을 얻는다.

정답 ❶ 증발 ❷ 염전

실험 동영상

1 소금과 모래의 혼합물은 어떻게 분리할까?

소금은 물에 잘 녹고 모래는 물에 녹지 않아.

그럼, 소금만 물에 녹는 성질을 이용하여 모래를 분리해 보자.

🧪 소금과 모래의 혼합물에서 모래를 먼저 분리하기

거름 장치

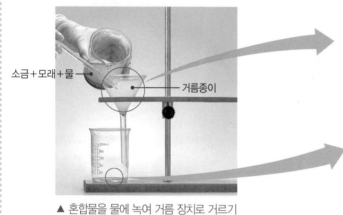

소금＋모래＋물

거름종이

▲ 혼합물을 물에 녹여 거름 장치로 거르기

거름종이에 남는
물질 : 모래

거름종이를 빠져나간
물질 : 소금물

🧪 걸러진 소금물에서 소금 분리하기

증발 장치

증발 접시
소금물
삼발이
알코올램프

▲ 소금물을 증발 접시에 붓고 가열하기

가열하면 소금물에서 물이 증발되는구나.

▲ 가열 후 증발 접시

• 날아가는 물질 : 물(수증기)
• 남는 물질 : 소금

✅ 소금과 모래의 혼합물을 물에 녹여 거름 장치로 거르면 거름종이 위에 남는 것은 ❶(모래 / 소금) 입니다.

2 거름과 증발을 이용하여 혼합물을 분리하는 경우를 알아볼까?

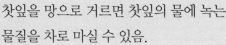
녹차 우려내기(거름)

찻잎을 망으로 거르면 찻잎의 물에 녹는 물질을 차로 마실 수 있음.

> 망이 거름종이 역할을 하는구나.

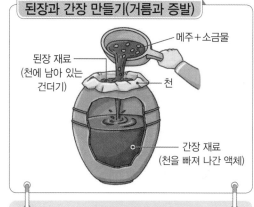

된장과 간장 만들기(거름과 증발)

메주+소금물

된장 재료 (천에 남아 있는 건더기)

천

간장 재료 (천을 빠져 나간 액체)

메주와 소금물의 혼합물을 천으로 걸러 천에 남아 있는 건더기는 된장을 만들고 걸러진 액체는 끓여서 간장을 만듦.

염전에서 소금얻기(증발)

염전에서 햇빛과 바람 등에 의하여 물을 증발시켜 소금(천일염)을 얻음.

> 전통장을 만들 때 거름과 증발을 이용하는군.

✓ 염전에서 ❷(물 / 소금)을 증발시켜 소금을 얻습니다.

정답 ❶ 모래 ❷ 물

🐻 **개념 체크**

◦ 정답과 풀이 14쪽

1 소금과 모래의 혼합물은 □에 녹여 거름 장치로 거릅니다.

2 소금물을 증발 접시에 붓고 가열하면 □□을/를 얻을 수 있습니다.

3 염전에서 햇빛과 바람 등에 의하여 물을 □□시켜 소금을 얻습니다.

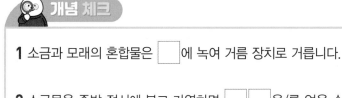

보기
- 물
- 기름
- 모래
- 소금
- 증발
- 거름

1 소금과 모래의 혼합물을 물에 녹여 오른쪽과 같은 장치를 사용하여 분리하였습니다. ㉠, ㉡에 들어갈 알맞은 말을 각각 쓰시오.

> 소금과 모래의 혼합물은 ┃ ㉠ ┃ 은/는 물에 녹고, ┃ ㉡ ┃ 은/는 물에 녹지 않는 성질을 이용하여 분리할 수 있습니다.

▲ 거름 장치

㉠ (   )   ㉡ (   )

2 위 **1**번 장치에서 거름종이를 빠져나간 물질을 보기에서 골라 기호를 쓰시오.

보기
㉠ 모래   ㉡ 소금물   ㉢ 물과 모래

(   )

3 다음 중 소금물을 증발 장치를 사용하여 가열할 때 나타나는 현상으로 옳은 것에 ○표를 하시오.

(1) 물의 양이 늘어납니다.   (   )

(2) 물의 온도가 내려갑니다.   (   )

(3) 하얀색 고체가 생깁니다.   (   )

4 다음 중 증발 장치를 사용할 때 필요한 실험 기구가 아닌 것을 두 가지 고르시오.

(,   )

① 깔때기   ② 삼발이

③ 증발 접시   ④ 거름종이

⑤ 알코올램프

5 다음 중 거름을 이용하여 혼합물을 분리하는 예를 골라 기호를 쓰시오.

ㄱ
▲ 염전에서 소금 얻기

ㄴ
▲ 녹차 우려내기

ㄷ
▲ 설탕을 다른 물질과 섞어 사탕 만들기

( )

6 다음 보기 에서 혼합물을 분리할 때 증발이 이용되는 것을 골라 기호를 쓰시오.

보기
ㄱ 콩과 좁쌀을 분리할 때
ㄴ 염전에서 소금을 얻을 때
ㄷ 모래와 철 가루의 혼합물을 분리할 때

( )

🐻 똑똑한 **하루 퀴즈**

7 다음 □ 안에 들어갈 알맞은 낱말을 말 상자에서 찾아 모두 ○표를 하세요. 말 상자의 낱말은 가로, 세로, 대각선에 숨어 있어요.

증	냉	✿	거
발	각	름	질
✿	모	물	잎
염	소	✿	망
가	전	금	래

1 소금과 모래를 물에 녹여 □□ 장치로 거르면 모래가 분리됨.
2 소금물을 가열하면 물이 □□하여 소금이 남음.
3 염전에서는 물을 증발시켜 □□을 얻음.

5일 4주 마무리하기 핵심

1 혼합물

한 가지 물질로 된 물, 설탕, 소금 등은 혼합물이 아니야.

① **혼합물** : 두 가지 이상의 물질이 성질이 변하지 않은 채 서로 섞여 있는 것
㉠ 김밥, 팥빙수, 나박김치 등
② **혼합물을 분리하면 좋은 점** : 원하는 물질을 얻을 수 있고, 이를 우리 생활의 필요한 곳에 효과적으로 이용할 수 있습니다.
㉠ 사탕수수에서 분리한 설탕을 다른 물질과 섞어 다양한 종류의 사탕 만들기

2 알갱이 크기 차이를 이용한 분리

① **콩, 팥, 좁쌀의 혼합물 분리**
• 알갱이 크기 차이를 이용하여 분리합니다.
• 눈의 크기가 팥보다 크고 콩보다 작은 체와, 눈의 크기가 좁쌀보다 크고 팥보다 작은 체 두 개를 사용하여 분리합니다.

알갱이의 크기가 다른 혼합물은 체를 사용하여 분리할 수 있어.

▲ 눈의 크기가 팥보다 크고 콩보다 작은 체를 사용할 때 : 콩이 체에 남아 분리됨.

▲ 눈의 크기가 좁쌀보다 크고 팥보다 작은 체를 사용할 때 : 좁쌀과 팥이 분리됨.

② **알갱이 크기 차이를 이용하여 혼합물을 분리하는 예**

• 해변 쓰레기 수거 장비로 쓰레기를 수거하기
• 공사장에서 체를 사용하여 모래와 자갈을 분리하기
• 모래와 진흙 속에 사는 재첩을 체를 사용하여 잡기

3 자석을 사용한 분리

① **플라스틱 구슬과 철 구슬의 혼합물 분리** : 철만 자석에 붙는 성질을 이용하여 자석으로 분리합니다.
② **자석을 사용하여 혼합물을 분리하는 예**
: 자석을 사용한 자동 분리기로 철 캔과 알루미늄 캔을 분리하기

▲ 플라스틱 구슬과 철 구슬의 혼합물

4 거름과 증발을 이용한 분리

혼합물에서 물에 녹는 물질과 녹지 않는 물질을 물에 녹여 거름 장치로 분리해.

① **소금과 모래의 혼합물 분리** : 소금과 모래를 물에 녹여 거름 장치로 거르고, 걸러진 물질을 증발 장치로 가열하여 물을 증발시킵니다(소금 분리).

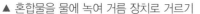

▲ 혼합물을 물에 녹여 거름 장치로 거르기   ▲ 걸러진 물질(소금물)을 증발 접시에 붓고 가열하기

② **거름과 증발을 이용하여 혼합물을 분리하는 예**

- 찻잎을 망으로 걸러 차 마시기 ➡ 거름
- 염전에서 소금 얻기 ➡ 증발
- 된장과 간장 만들기 ➡ 거름과 증발

생명 빨대, 깨끗한 물을 분리해요.

세계 어떤 지역에서는 깨끗한 물을 구할 수 없어 오염된 물을 마시고 병에 걸려 죽어가는 사람들이 있습니다. 이처럼 안타까운 일을 줄이고자 개발된 것이 생명 빨대입니다. 간편하게 목에 걸고 다니다가 물을 마실 때 빨대처럼 물에 대고 빨아들이거나, 물통에 연결하여 깨끗한 물을 받을 수 있습니다. 안에 있는 필터는 오염된 물에 사는 미생물과 기생충을 거의 모두 걸러낼 수 있습니다. 이렇게 생명 빨대는 더러운 물에서 깨끗한 물을 분리하여 사람들이 안전하게 물을 마실 수 있게 해 줍니다.

1일 혼합물

1 다음 여러 가지 물질 중 혼합물이 <u>아닌</u> 것은 어느 것입니까? (   )

① ▲ 김밥　　② ▲ 설탕　　③ ▲ 팥빙수　　④ ▲ 나박김치

2 다음은 혼합물에 대한 설명입니다. (   ) 안의 알맞은 말에 각각 ○표를 하시오.

> 혼합물은 (두 / 한) 가지 이상의 물질이 성질이 (변한 / 변하지 않은) 채 섞여 있는 것입니다.

3 다음과 같이 혼합물인 사탕수수를 분리하면 좋은 점으로 옳지 <u>않은</u> 것은 어느 것입니까?

(   )

▲ 사탕수수　　분리　　▲ 설탕　　이용　　▲ 사탕

① 설탕을 얻을 수 있다.

② 설탕으로 음식의 단맛을 낼 수 있다.

③ 분리한 설탕을 그대로 이용하는 것은 불가능하다.

④ 설탕을 사탕, 과자 등 필요한 곳에 이용할 수 있다.

⑤ 설탕을 다른 재료와 섞어 다양한 물질을 만들 수 있다.

2일 **알갱이 크기 차이를 이용한 분리**

4 다음 혼합물을 분리할 수 있는 알맞은 방법을 말한 친구의 이름을 쓰시오.

▲ 콩, 팥, 좁쌀의 혼합물

미래 : 자석을 사용하여 분리하자.
정수 : 물에 넣어 녹인 다음 물을 증발시켜 분리하자.
은희 : 알갱이의 크기 차이를 이용하여 체로 분리하자.

(   )

5 좁쌀과 팥을 분리할 수 있는 체의 조건에 맞게 다음 ㉠, ㉡에 들어갈 알맞은 말을 각각 쓰시오.

체의 눈의 크기가 좁쌀보다는   ㉠   고, 팥보다는   ㉡   야 합니다.

㉠ (   )   ㉡ (   )

6 다음 중 체를 사용하여 혼합물을 분리하는 경우로 옳은 것을 두 가지 고르시오.

(,   )

① 바닷물에서 소금을 분리할 때
② 공사장에서 모래와 자갈을 분리할 때
③ 모래와 진흙 속에 사는 재첩을 잡을 때
④ 다른 물체들과 섞여 있는 납작못을 분리할 때
⑤ 자동 분리기로 철 캔과 알루미늄 캔을 분리할 때

4
주

3일 자석을 사용한 분리

7 오른쪽 그림과 같이 크기가 비슷한 플라스틱 구슬과 철 구슬이 섞여 있는 혼합물을 쉽게 분리할 수 있는 방법을 보기에서 골라 기호를 쓰시오.

> **보기**
> ㉠ 자석을 사용하여 분리합니다.
> ㉡ 눈의 크기가 작은 체를 사용하여 분리합니다.
> ㉢ 물에 넣어 녹인 뒤 눈의 크기가 큰 체로 분리합니다.

▲ 플라스틱 구슬과 철 구슬의 혼합물

(   )

8 다음은 혼합물을 분리하는 방법입니다. ☐ 안에 들어갈 알맞은 말을 쓰시오.

> 식품의 재료를 가루로 만드는 과정에서 기계가 닳아서 떨어져 나온 철 가루를 분리하기 위해 ☐ 을/를 사용합니다.

(   )

4일 거름과 증발을 이용한 분리

서술형

9 오른쪽 그림과 같이 소금과 모래의 혼합물을 물에 녹여 거름 장치로 혼합물을 분리할 때 이용한 성질을 쓰시오.

소금＋모래＋물

▲ 거름 장치

10 오른쪽과 같이 소금물을 증발 접시에 붓고 가열할 때 나타나는 현상으로 옳지 <u>않은</u> 것은 어느 것입니까? (   )

① 물이 끓는다.   ② 물이 증발한다.

③ 물의 양이 늘어난다.   ④ 하얀색 고체가 생긴다.

⑤ 하얀색 가루 물질이 사방으로 튄다.

소금물

▲ 증발 장치

11 다음 중 물에 녹는 물질과 물에 녹지 않는 물질을 걸러서 분리하는 예를 골라 기호를 쓰시오.

ㄱ

▲ 찻잎을 망으로 거르기

ㄴ

▲ 모래와 자갈을 분리하기

ㄷ

▲ 플라스틱 구슬과 철 구슬의 혼합물 분리하기

(   )

똑똑한 하루 퀴즈

12 다음 십자말풀이를 해 보세요.

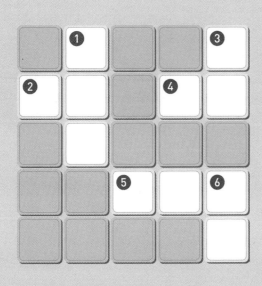

➡가로

❷ 액체 표면에서 액체가 기체로 변하는 현상

❹ 사탕수수를 분리하여 얻을 수 있는 물질

❺ 햇빛으로 바닷물을 증발시켜 얻은 소금

⬇세로

❶ 둥근 쇠 테두리에 발이 세 개 달린 기구로, 알코올램프로 물질을 가열할 때 이용함.

❸ 설탕 등을 끓였다가 식혀서 여러 가지 모양으로 굳힌 것으로 맛이 달고 입 안에서 잘 녹음.

❻ 바닷물을 끌어들여 햇빛에 증발시켜 소금을 얻기 위해 논처럼 만든 곳

4
주

1 다음은 무엇에 대한 설명인지 □ 안에 들어갈 알맞은 말을 쓰시오.

> 두 가지 이상의 물질이 성질이 변하지 않은 채 서로 섞여 있는 것을 □□□(이)라고 합니다.

( )

2 다음 중 혼합물에 대한 설명으로 옳은 것에 ○표를 하시오.

(1) 세 가지 물질이 섞여 있는 것은 혼합물이 아닙니다. ( )

(2) 혼합물에 섞여 있는 물질의 성질은 섞이기 전과 같습니다. ( )

3 다음 보기에서 사탕수수와 설탕에 대한 설명으로 옳은 것을 골라 기호를 쓰시오.

▲ 사탕수수

▲ 설탕.

보기
㉠ 설탕은 혼합물입니다.
㉡ 사탕수수는 단맛이 나지 않습니다.
㉢ 사탕수수에서 설탕을 분리할 수 있습니다.

( )

4 다음과 같이 콩, 팥, 좁쌀의 혼합물을 체에 담고 흔들었더니 좁쌀만 체를 빠져나왔습니다. 이 체에 대한 설명으로 옳은 것은 어느 것입니까?

( )

콩, 팥, 좁쌀의 혼합물

좁쌀

① 체의 눈의 크기는 콩보다 크다.

② 체의 눈의 크기는 팥보다 크다.

③ 체의 눈의 크기는 좁쌀보다 작다.

④ 체의 눈의 크기는 콩보다 작고 팥보다 크다.

⑤ 체의 눈의 크기는 팥보다 작고 좁쌀보다 크다.

5 다음 중 알갱이 크기 차이를 이용하여 혼합물을 분리하는 경우가 아닌 것은 어느 것입니까?

( )

① ▲ 해변 쓰레기 수거 장비

② ▲ 된장과 간장 만들기

③ ▲ 모래와 진흙 속에 사는 재첩 잡기

④ ▲ 체로 모래와 자갈 분리하기

6 다음 플라스틱 구슬과 철 구슬의 혼합물의 특징으로 옳은 것은 어느 것입니까? (　　　)

플라스틱 구슬
철 구슬

① 두 가지 구슬 모두 물에 녹는다.

② 플라스틱 구슬과 철 구슬의 색깔이 같다.

③ 플라스틱 구슬과 철 구슬의 모양이 다르다.

④ 플라스틱 구슬과 철 구슬은 둘 다 물에 뜬다.

⑤ 플라스틱 구슬은 자석에 붙지 않고, 철 구슬은 자석에 붙는다.

7 다음은 자석을 이용하는 자동 분리기로 캔을 분리하는 모습입니다. 철 캔과 알루미늄 캔 중 ㉠ 통에 모이는 것은 어느 것인지 쓰시오.

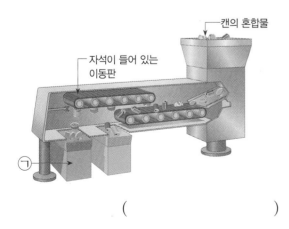

캔의 혼합물
자석이 들어 있는 이동판
㉠

(　　　　　　　)

8 다음 보기 에서 소금과 모래의 혼합물을 분리할 때 이용하기에 가장 알맞은 특징을 골라 기호를 쓰시오.

보기
㉠ 소금과 모래는 색깔이 다릅니다.
㉡ 소금과 모래는 알갱이의 크기가 비슷합니다.
㉢ 소금은 물에 잘 녹고 모래는 물에 녹지 않습니다.

(　　　　　　　)

9 다음과 같이 소금과 모래의 혼합물을 물에 녹인 뒤 거름 장치로 거를 때, 거름종이에 남게 되는 물질을 쓰시오.

소금＋모래＋물

(　　　　　　　)

10 오른쪽과 같이 소금물을 가열하는 실험에 대한 설명으로 옳은 것에는 ○표, 옳지 <u>않은</u> 것에는 ×표를 하시오.

소금물

(1) 물이 줄어듭니다. (　　　)

(2) 황토색 고체가 생깁니다. (　　　)

(3) 증발 접시 안에는 아무것도 남지 않습니다.

(　　　)

4
주

생활 속 **과학**

우유로 치즈를 만들어 봅시다.

🐻✓ **우유로 치즈 만들기**

재료 　우유 500 mL, 면 보자기, 레몬즙 3스푼, 소금 스푼, 냄비, 그릇, 나무 주걱

만드는 방법

1️⃣ 우유를 냄비에 넣고 중간 불로 저어 가며 데운다. 우유가 끓으면 소금을 넣어 간을 한다.

2️⃣ 우유에 거품이 일어나면 약한 불로 줄이고 레몬즙을 넣고 젓는다. 우유가 덩어리로 뭉치는 것이 보이면 불을 끄고 2분 정도 젓는다.

3️⃣ 면 보자기를 받친 그릇에 부어 노란 물이 빠지면 손으로 눌러 짜서 덩어리가 지게 한다.

1 다음은 우유로 치즈를 만드는 원리를 다음의 6장의 카드에 정리한 것이에요. 치즈를 만드는 방법을 잘 생각해 보고, 카드 속 빈 칸에 들어갈 알맞은 답을 아래의 상자 속에 있는 용어에서 골라 넣어 보세요.

❶ 우유는 지방, 단백질 등 [   ] 물질로 이루어져 있습니다.

❷ 우유는 [   ]입니다.

❸ 치즈는 우유 속 단백질을 분리해서 만듭니다.

❹ 우유 속의 단백질은 [   ]을/를 넣으면 응고됩니다.

❺ 응고된 덩어리만 모으면 [   ]이/가 만들어집니다.

❻ 치즈도 혼합물의 분리를 이용해서 만든 것입니다.

고른 용어의 번호를 순서대로 써 볼까요?

답

사고 쑥쑥

혼합물에서 물질을 분리하여 우리 생활에 어떻게 이용하는지 알아봅니다.

2 다음 만화를 읽고 사다리타기 놀이에서 자연에 있는 혼합물에서 분리할 수 있는 물질을 찾아 도착하도록 사다리에 선을 추가하여 길을 완성하세요.

혼합물에서 분리할 수 있는 물질

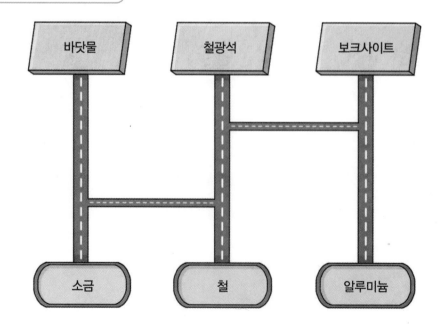

혼합물의 분리에 대한 옳은 내용을 따라가 봅니다.

3 현지는 내용물을 알 수 없는 액체를 알코올램프로 가열하고 있어요. 현지가 분리한 물질은 무엇인지 쓰세요.

분리한 물질

4 다음 여러 가지 물질 중 혼합물인 것을 구별하고, ❶과 ❷번의 □ 안에 들어갈 숫자를 맞춰 나오는 용어를 써보세요.

▲ 김밥

▲ 멸치볶음

▲ 물

▲ 샌드위치

▲ 각설탕

▲ 바닷물

(1)

❶ 혼합물은 □ 가지 이상의 물질이 성질이 변하지 않은 채 서로 섞여 있는 것입니다.

❷ 위의 여러 가지 물질 중 혼합물인 물질은 총 □개입니다.

(2) ❶에서 □ 안에 들어갈 숫자에 해당하는 글자는 첫 번째 글자, ❷에서 □ 안에 들어갈 숫자에 해당하는 글자는 두 번째 글자입니다.

숫자	1	2	3	4	5	5
글자	모	분	양	리	래	해

답

소금과 후추의 혼합물은 어떻게 분리하는지 알아봅니다.

5 다음 만화를 읽고 아래 ❶~❸에 들어갈 알맞은 말을 쓰세요.

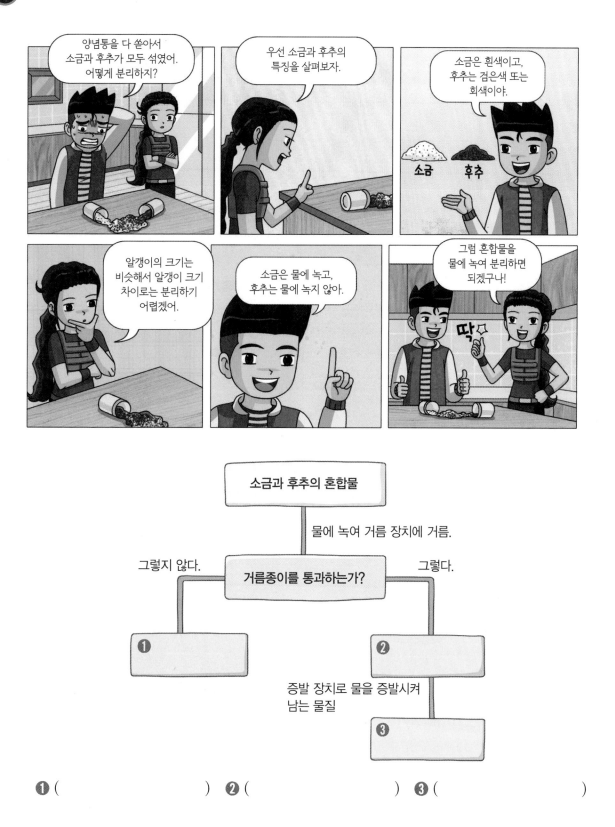

소금과 후추의 혼합물

물에 녹여 거름 장치에 거름.

그렇지 않다.　거름종이를 통과하는가?　그렇다.

❶

❷

증발 장치로 물을 증발시켜
남는 물질

❸

❶ (　　　　　　　　　) ❷ (　　　　　　　　　　　) ❸ (　　　　　　　　　　　)

여러 가지 **실험 기구**

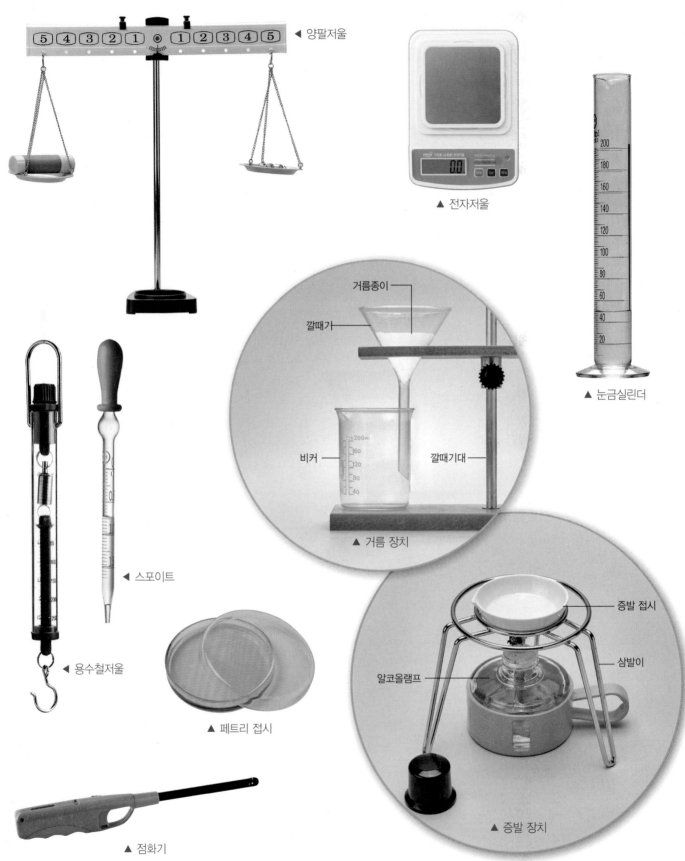

◀ 양팔저울

▲ 전자저울

▲ 눈금실린더

거름종이

깔때기

비커

깔때기대

▲ 거름 장치

◀ 스포이트

◀ 용수철저울

▲ 페트리 접시

증발 접시

삼발이

알코올램프

▲ 증발 장치

▲ 점화기

문제 읽을 준비는
저절로 되지 않습니다.

문해력을 키우는 시간

하루
10분

똑똑한 하루 국어 시리즈

문제풀이의 핵심, 문해력을 키우는 승부수

예비초~초6 각 A·B
교재별14권

예비초 A·B, 초1~초6: 1A~4C
총 14권

정답과 풀이

1주 지층과 화석

1일 지층

15쪽 개념 체크

1 암석   2 줄무늬   3 오랜

16~17쪽 개념 확인하기

1 ③   2 ㉡   3 ㉢   4 ①, ⑤
5 ①   6 (1) ㉡ (2) ㉠

똑똑한 하루 퀴즈

7
색	깔	✸	줄
지	✸	수	무
층	평	✸	늬
끊	어	진	✸

① 지층 ② 수평 ③ 끊어진 ④ 줄무늬

풀이

1 자갈, 모래, 진흙 등으로 이루어진 암석들이 층을 이루고 있는 것을 지층이라고 합니다.

2 지층은 줄무늬가 보이며, 각 층의 두께나 색깔 등이 다릅니다.

3 ㉠은 얇은 층이 수평으로 쌓여있는 수평인 지층, ㉡은 층이 끊어져 어긋나 있는 끊어진 지층, ㉢은 층이 구부러져 있는 휘어진 지층의 모습입니다.

4 여러 가지 모양의 지층은 공통적으로 줄무늬가 보이고, 여러 개의 층으로 이루어져 있습니다.

왜 틀렸을까?
② 지층은 층마다 두께가 다릅니다.
③ 지층은 층마다 색깔이 다릅니다.
④ 지층은 산기슭, 바닷가 등 여러 곳에서 볼 수 있습니다.

5 지층이 만들어져 발견되는 과정은 '② → ④ → ③ → ①'의 순서입니다.

6 지층에서 아래에 있는 층이 위에 있는 층보다 먼저 만들어진 것입니다.

7 ① 자갈, 모래, 진흙 등으로 이루어진 암석들이 층을 이루고 있는 것을 지층이라고 합니다.
② 수평인 지층은 얇은 층이 수평으로 쌓여 있습니다.
③ 끊어진 지층은 층이 끊어져 어긋나 있습니다.
④ 여러 가지 지층에서는 공통적으로 줄무늬가 보입니다.

2일 퇴적암

21쪽 개념 체크

1 퇴적암   2 사암   3 물

22~23쪽 개념 확인하기

1 퇴적암   2 ④   3 ㉡   4 ③
5 ㉠, ㉡, ㉢

집중 연습 문제

6 ㉠
• 이암 ➡ 진흙
• 사암 ➡ 모래

7 역암

풀이

1 물이 운반한 자갈, 모래, 진흙 등의 퇴적물이 굳어져 만들어진 암석을 퇴적암이라고 합니다.

2 자갈, 모래, 진흙 등으로 이루어진 암석들이 층을 이루고 있는 것을 지층이라고 하는데, 지층은 대부분 퇴적암으로 이루어져 있습니다.

왜 틀렸을까?
① 화산 활동으로 만들어진 암석은 화성암입니다.
② 퇴적암에는 이암, 사암, 역암 등이 있습니다.
③ 이암은 사암보다 알갱이의 크기가 작습니다.
⑤ 퇴적암은 알갱이의 크기에 따라 이암, 사암, 역암으로 분류할 수 있습니다.

3 모래로 만든 퇴적암 모형은 만드는 데 걸리는 시간이 짧지만, 실제 퇴적암(사암)은 만들어지는 데 오랜 시간이 걸립니다.

4 모래로 만든 퇴적암 모형과 실제 퇴적암(사암)은 모두 모래로 되어 있습니다.

5 햇빛, 비, 바람 등에 의하여 암석이 부서진 다음 물에 의하여 퇴적물이 운반되어 강이나 바다에 쌓인 뒤, 퇴적물이 계속 쌓이면 퇴적물의 부피가 줄고 서로 단단하게 붙어 퇴적암이 만들어집니다.

6 이암은 진흙과 같은 작은 알갱이로 되어 있어서 손으로 만지면 부드럽고 매끄러운 느낌이 듭니다. 사암은 손으로 만졌을 때 약간 거칠고 까슬까슬한 느낌이 듭니다.

7 역암은 주로 자갈, 모래 등으로 되어 있으며 색깔은 회색, 갈색 등 다양합니다. 역암을 손으로 만지면 부드럽기도 하고 거칠기도 합니다.

3일 화석

27쪽 개념 체크

1 화석 **2** 동물 **3** 식물

28~29쪽 개념 확인하기

1 ㉠ **2** 삼엽충 **3** (1) ㉡ (2) ㉠
4 ④ **5** ②

똑똑한 하루 퀴즈

6

유	☆	☆	식
물	잎	☆	물
☆	동	물	☆
화	석	☆	뼈

❶ 화석 ❷ 뼈, 잎 ❸ 동물 ❹ 식물 ❺ 유물

풀이

1 동물의 뼈나 식물의 잎과 같은 생물의 몸체뿐만 아니라 동물의 발자국이나 기어간 흔적도 화석이 될 수 있습니다. 화석의 거대한 공룡의 뼈에서부터 현미경으로 관찰할 수 있는 작은 생물까지 그 크기가 다양합니다.

2 삼엽충 화석은 머리, 가슴, 꼬리의 세 부분으로 나눌 수 있으며, 모양이 잎을 닮았습니다.

3 (1)은 물고기 화석의 모습이고, (2)는 공룡알 화석의 모습입니다.

4 화석은 오늘날에 살고 있는 생물과 비교하여 동물 화석과 식물 화석으로 구분할 수 있습니다. 새 발자국 화석은 동물 화석입니다.

5 고인돌은 옛날에 살았던 생물의 몸체나 생물이 생활한 흔적이 아니라 사람이 만든 유물입니다.

6 ❶ 옛날에 살았던 생물의 몸체와 생물이 생활한 흔적이 남아 있는 것을 화석이라고 합니다.
❷ 동물의 뼈, 식물의 잎 등도 화석이 될 수 있습니다.
❸ 화석은 동물 화석과 식물 화석으로 나눌 수 있습니다.
❹ 고사리 화석은 식물 화석입니다.
❺ 고인돌은 화석이 아니라 사람이 만든 유물입니다.

4일 화석의 이용

33쪽 개념 체크

1 빠르게 **2** 바다 **3** 시기

34~35쪽 개념 확인하기

1 ㉡ **2** 실제 화석 **3** 예 따뜻한 **4** ⑤
5 ㉠

집중 연습 문제

6 ㉡ **7** ㉢

풀이

1 화석 모형과 실제 화석은 모양, 무늬 등이 같습니다. 실제 화석은 화석 모형보다 단단하고, 색깔과 무늬가 선명합니다.

2 화석 모형은 만드는 데 걸리는 시간이 짧지만, 실제 화석은 만들어지는 데 오랜 시간이 걸립니다.

3 산호 화석이 발견된 곳은 깊이가 얕고 따뜻한 바다 였음을 알 수 있습니다.

4 어느 지층에서 공룡 발자국 화석이 발견되었다면 그 지층은 공룡이 살던 시기에 쌓인 지층이라는 것을 알 수 있습니다.

5 석탄이나 석유도 화석이라고 할 수 있습니다. 석탄이나 석유와 같은 화석 연료는 우리 생활에 유용하게 이용됩니다.

6 화석이 만들어져 발견될 때 ⓒ 과정이 ㉠ 과정보다 나중에 일어납니다.

7 화석이 만들어지려면 생물의 몸체 위에 퇴적물이 빠르게 쌓여야 합니다. 또 동물의 뼈, 이빨, 껍데기, 식물의 잎, 줄기 등과 같이 단단한 부분이 있으면 화석으로 만들어지기 쉽습니다.

5일 1주 마무리하기

38~41쪽 마무리하기 문제

1 지층　　　　2 ㉠　　　　3 ⑩
4 예 지층을 이루고 있는 자갈, 모래, 진흙의 알갱이의 크기와 색깔이 서로 다르기　　　　5 ③　　　　6 ③
7 ①　　　　8 ④　　　　9 동물　　　　10 ㉠
11 ㉠　　　　12 ④　　　　13 ㉠

똑똑한 하루 퀴즈

14

풀이

1 자갈, 모래, 진흙 등으로 이루어진 암석들이 층을 이루고 있는 것을 지층이라고 합니다.

2 ㉠은 층이 끊어져 어긋나 있는 끊어진 지층입니다. ⓒ은 수평인 지층이고, ⓒ은 휘어진 지층의 모습입니다.

3 지층에서 아래에 있는 층이 위에 있는 층보다 먼저 만들어진 것입니다. 따라서 가장 먼저 만들어진 지층은 ⑩입니다.

4 지층을 이루고 있는 자갈, 모래, 진흙의 알갱이의 크기와 색깔이 서로 달라 지층에 평행한 줄무늬가 나타납니다.

(인정 답안)

알갱이의 크기 또는 알갱이의 색깔이 다르다는 표현이 있으면 정답으로 인정합니다.

인정 답안의 예
- 지층마다 알갱이의 크기가 다르기
- 지층마다 쌓인 알갱이의 색깔이 다르기 등

5 물이 운반한 자갈, 모래, 진흙 등의 퇴적물이 굳어져 만들어진 암석을 퇴적암이라고 합니다.

6 이암은 진흙, 갯벌의 흙과 같이 작은 알갱이로 되어 있는 암석입니다.

7 퇴적암이 만들어지는 과정은 '① → ④ → ③ → ②' 입니다.

8 옛날에 살았던 생물의 몸체와 생물이 생활한 흔적이 남아 있는 것을 화석이라고 합니다. 화석은 거대한 공룡의 뼈에서부터 현미경으로 관찰할 수 있는 작은 생물까지 그 크기가 다양합니다.

9 화석은 오늘날에 살고 있는 생물과 비교하여 동물 화석과 식물 화석으로 구분할 수 있습니다. 삼엽충 화석, 물고기 화석 등은 동물 화석이고, 고사리 화석, 나뭇잎 화석은 식물 화석입니다.

10 고인돌은 옛날에 살았던 생물의 몸체나 생물이 생활한 흔적이 아니라 사람이 만든 유물입니다.

(왜 틀렸을까?)

ⓒ은 삼엽충 화석입니다.
ⓒ은 고사리 화석입니다.

11 화석 모형은 만드는 데 걸리는 시간이 짧지만, 실제 화석은 만들어지는 데 오랜 시간이 걸립니다.

12 화석이 만들어지려면 생물의 몸체 위에 퇴적물이 빠르게 쌓여야 합니다. 또 생물의 몸체에 단단한 부분이 있으면 화석으로 만들어지기 쉽습니다.

13 고사리 화석의 발견으로 고사리가 살던 곳은 기온이 따뜻하고 습기가 많은 곳이었음을 알 수 있습니다.

14 ①은 동물 화석, ②는 식물, ③은 퇴적물, ④는 유물, ⑤는 사람, ⑥은 이암입니다.

1주 | TEST + 특강

42~43쪽　누구나 100점 TEST

1 ④	**2** ㉠	**3** 다르기	**4** (1) ㉡
(2) ㉠ (3) ㉢	**5** ㉠ 예 퇴적물 ㉡ 퇴적암		**6** ③
7 ②	**8** 예 단단한	**9** ④	**10** ④

풀이

1 지층은 여러 개의 층으로 되어 있습니다.

2 ㉠은 끊어진 지층이고, ㉡은 휘어진 지층입니다.

3 지층을 이루고 있는 자갈, 모래, 진흙의 알갱이의 크기와 색깔이 서로 달라 지층에 평행한 줄무늬가 나타납니다.

4 이암은 주로 진흙, 갯벌의 흙 등, 사암은 주로 모래, 역암은 주로 자갈, 모래 등으로 만들어졌습니다.

5 물에 의해 운반된 퇴적물이 계속 쌓이면 퇴적암이 만들어집니다.

6 화석은 크기가 다양하며, 동물이 기어간 흔적도 화석이 될 수 있습니다.

7 고사리 화석은 식물 화석입니다.

8 생물의 몸체에서 단단한 부분이 있으면 화석으로 만들어지기 쉽습니다.

9 삼엽충이 발견된 곳은 당시에 바닷속이었다는 것을 알 수 있습니다.

10 산호 화석이 발견된 곳은 깊이가 얕고 따뜻한 바다였음을 알 수 있습니다.

45쪽　생활 속 과학 융합

① ① 지층 ② 퇴적암 ③ 화석

풀이

① 자갈, 모래, 진흙 등으로 이루어진 암석들이 층을 이루고 있는 것을 지층이라 하고, 물이 운반한 자갈, 모래, 진흙 등의 퇴적물이 굳어져 만들어진 암석을 퇴적암이라고 하며, 옛날에 살았던 생물의 몸체와 생물이 생활한 흔적이 남아 있는 것을 화석이라고 합니다.

46~47쪽　사고 쑥쑥 창의

② ① 끊어진 지층 ② 퇴적암 ③ 나뭇잎 화석
③ 퇴적암 → 이암 → 화석

풀이

② 자갈, 모래, 진흙 등으로 이루어진 층이 끊어져 어긋나 있는 것은 끊어진 지층이고, 자갈, 모래, 진흙 등의 퇴적물이 굳어져 만들어진 암석은 퇴적암이며, 나뭇잎 화석은 식물 화석입니다.

③ 퇴적물이 굳어져 만들어진 암석은 퇴적암이고, 진흙과 같이 작은 알갱이로 되어 있는 암석은 이암이며, 옛날에 살았던 생물의 몸체와 생물이 생활한 흔적이 남아 있는 것은 화석입니다.

48~49쪽　논리 탄탄 코딩

④ 3
⑤ ㉠

풀이

④ 지층에는 줄무늬가 보이고, 여러 개의 층으로 되어 있습니다. 지층은 단단하지만 힘을 받으면 끊어지기도 합니다. 또한 아래에 있는 층이 위에 있는 층보다 먼저 만들어진 것입니다.

⑤ 오래되었으며, 사람이 만든 것이 아니고, 식물의 흔적인 것은 ㉠의 고사리 화석입니다.

1일 식물의 한살이 관찰 계획

57쪽 개념 체크

1 단단   2 한살이   3 물

58~59쪽 개념 확인하기

1 다르다.   2 ③   3 꽃
4 ⓒ   5 ⑤   6 찬영

똑똑한 하루 퀴즈

7

한	성	궁	덕
모	살	②	거
두	❷	이	름
껍	질	정	흙
청	감	❸	토

❶ 껍질 ❷ 한살이 ❸ 거름흙

풀이

1 여러 가지 씨는 색깔, 모양, 크기 등의 생김새가 다릅니다.

2 여러 가지 씨는 단단하고 껍질이 있다는 공통점이 있습니다.

3 식물은 씨가 싹 터서 자라며, 꽃이 피고 열매를 맺어 다시 씨가 만들어지는 한살이 과정을 거칩니다.

4 식물의 한살이를 관찰할 때에는 한살이 기간이 짧고, 잎, 줄기, 꽃, 열매 등을 관찰하기 쉬운 식물을 선택하는 것이 좋습니다.

5 화분에 씨를 심을 때에는 ⑤ → ④ → ② → ① → ③ 순서로 심어야 합니다.

6 화분에 씨를 심을 때에는 씨 크기의 두세 배 깊이로 심어야 합니다.

7 ❶은 껍질, ❷는 한살이, ❸은 거름흙입니다.

2일 씨의 싹 트기

63쪽 개념 체크

1 물   2 떡잎   3 뿌리

64~65쪽 개념 확인하기

1 ②   2 ⓒ   3 (1) × (2) ○ (3) ○
4 ⑤   5 ⓒ

집중 연습 문제

6 ⑤   7 뿌리   8 ㉠   뿌리 ➡ 떡잎 ➡ 본잎

풀이

1 씨가 싹 트는 데 물이 미치는 영향을 알아보려면 물 조건만 다르게 해 주어야 합니다.

2 물을 주지 않은 강낭콩은 씨가 싹 트지 않고 물을 준 강낭콩은 씨가 싹이 틉니다.

3 냉장고 안은 온도가 낮기 때문에 씨가 싹 틀 수 없습니다. 씨가 싹 트는 데에는 적당한 온도와 적당한 양의 물이 필요합니다.

4 옥수수가 싹 터서 자라는 과정은 ⑤ → ② → ④ → ①의 순서입니다. ③은 강낭콩이 싹 터서 자라는 과정에서 볼 수 있는 모습입니다.

5 ㉠은 본잎, ㉡은 떡잎싸개, ㉢은 뿌리입니다.

6 떡잎싸개는 옥수수가 싹 틀 때 볼 수 있습니다.

7 강낭콩이 싹 틀 때에는 가장 먼저 뿌리가 씨 밖으로 나옵니다.

8 강낭콩이 싹 틀 때 뿌리가 나온 뒤에는 껍질이 벗겨지고 떡잎 두 장이 나옵니다.

3일 식물의 자람

69쪽 개념 체크

1 빛   2 많아   3 씨

70~71쪽 개념 확인하기

1 ㉠ 2 ㉢ 3 ①, ③
4 (1) ○ (2) ○ (3) × 5 (1) 열매 (2) 꽃
6 ①

똑똑한 하루 퀴즈

7
꼬	솔	☆	소
투	잎	번	식
리	☆	줄	영
진	본	연	기

❶ 줄기
❷ 꼬투리
❸ 번식

풀이

1 물을 준 것은 잘 자라고, 물을 주지 않은 것은 시들고 잘 자라지 못합니다.

2 물을 준 강낭콩만 잘 자란 것으로 보아 식물이 자라는 데에는 적당한 양의 물이 필요함을 알 수 있습니다.

3 식물이 자라는 데에는 빛, 적당한 온도, 적당한 양의 물, 이산화 탄소, 양분 등이 필요합니다.

4 강낭콩이 자라면서 잎의 개수는 점점 많아집니다.

5 (1)은 강낭콩의 열매인 꼬투리의 모습이고, (2)는 강낭콩의 꽃의 모습입니다.

6 식물은 번식을 하기 위해 씨를 만듭니다.

7 ❶은 줄기, ❷는 꼬투리, ❸은 번식입니다.

4일 여러 가지 식물의 한살이

75쪽 개념 체크

1 씨 2 꽃 3 한

76~77쪽 개념 확인하기

1 ㉢ 2 ③ 3 열매 4 (1) ㉢ (2) ㉠
5 ⑤ 6 ㉢

집중 연습 문제

7 ②, ④ 여러 8 한해살이 식물

풀이

1 벼는 '볍씨 → 싹이 틈. → 잎과 줄기가 자람. → 꽃이 핌. → 열매를 맺어 씨를 만듦.'의 한살이 과정을 거칩니다.

2 벼는 열매를 맺어 씨를 만들고 일생을 마칩니다.

3 감나무는 여러해살이 식물로, 여러해살이 식물은 여러 해를 살면서 열매 맺는 것을 반복합니다.

4 벼는 한해살이 식물이고, 감나무는 여러해살이 식물입니다.

5 식물을 한살이 기간에 따라 한 해만 사는 한해살이 식물과 여러 해 동안 사는 여러해살이 식물로 나눌 수 있습니다.

6 ㉠, ㉡, ㉣은 한해살이 식물입니다.

7 여러해살이 식물도 꽃을 피우며, ③과 ⑤는 한해살이 식물에 대한 설명입니다.

8 씨가 싹 터서 자라서 꽃이 피고 열매를 맺어 씨를 만들고 일생을 마치는 것은 한해살이 식물입니다.

5일 2주 마무리하기

80~83쪽 마무리하기 문제

1 ④ 2 ㉢ 3 두세 4 ②
5 ㉠ 6 ㉡ 7 ③ 8 ㉡, ㉢, ㉠
9 ④ 10 ㉣ 11 태호 12 ⑩ 꽃이 피고
열매를 맺어 번식한다.

똑똑한 하루 퀴즈

13
	②여		④뿌
	러	③꼬	투	리
①한	해		
			⑥본
		⑤떡	잎

풀이

1 여러 가지 씨는 모양, 색깔, 크기 등의 생김새가 다르지만, 공통적으로 단단하고 껍질이 있으며 대부분 주먹보다 크기가 작습니다.

2 한살이 기간이 짧고, 잎, 꽃, 줄기, 열매 등을 관찰하기 쉬운 것이 식물의 한살이를 관찰하기에 적합합니다.

3 화분에 씨를 심을 때에는 씨 크기의 두세 배 깊이로 씨를 심어야 합니다.

4 화분에 씨를 심고 흙을 덮은 뒤에는 물을 충분히 주어 팻말을 꽂아 햇빛이 비치는 곳에 놓아두어야 합니다.

5 씨가 싹 트는 데에는 물이 필요하므로 물을 준 강낭콩은 싹이 틉니다.

6 ㉠은 본잎, ㉡은 떡잎, ㉢은 줄기, ㉣은 뿌리입니다.

7 강낭콩이 싹 틀 때에는 가장 먼저 뿌리가 나오고 떡잎이 나온 뒤에 떡잎 사이로 본잎이 나옵니다.

8 강낭콩이 자람에 따라 잎은 점점 넓어지고 개수가 많아지며, 줄기는 점점 굵어지고 길어집니다.

9 강낭콩의 꽃이 진 자리에는 열매인 꼬투리가 생깁니다.

10 벼는 ㉡ → ㉢ → ㉠ → ㉣ 순으로 한살이 과정을 거칩니다.

11 감나무는 여러해살이 식물로 여러 해 동안 살면서 한살이의 일부를 반복합니다.

12 식물에 따라 한살이 기간은 다르지만, 모두 씨가 싹 터서 자라며 꽃이 피고 열매를 맺어 번식한다는 공통점이 있습니다.

> **〔 인정 답안 〕**
> 꽃과 열매 또는 열매와 번식이라는 단어가 들어가도록 쓰면 정답으로 인정합니다.
>
> **인정 답안의 예**
> • 꽃이 피고 열매를 맺는다.
> • 열매를 맺어 번식한다. 등

13 ❶은 한해, ❷는 여러해, ❸은 꼬투리, ❹는 뿌리, ❺는 떡잎, ❻은 본잎입니다.

2주 | TEST + 특강

84~85쪽	누구나 100점 TEST

1 껍질	**2** (1) ○ (2) × (3) ○	**3** ③
4 (1) ㉡ (2) ㉠	**5** ④	**6** ㉡
7 꼬투리(열매)	**8** ①	**9** ④
10 (1) ㉡ (2) ㉠		

풀이

1 여러 가지 씨는 공통적으로 단단하고 껍질이 있습니다.

2 한살이 기간이 짧고, 잎, 줄기, 꽃, 열매 등을 관찰하기 쉬운 것이 식물의 한살이 관찰에 적합한 식물입니다.

3 화분에 씨를 심을 때에는 가장 먼저 물 빠짐 구멍을 막은 후에 거름흙을 넣습니다. 그리고 씨를 심고 흙을 덮은 후에 물을 충분히 주고 팻말을 꽂아 햇빛이 비치는 곳에 놓아둡니다.

4 씨가 싹 트는 데에는 적당한 양의 물이 필요하므로, 물을 주지 않은 강낭콩은 싹이 트지 않고, 물을 준 강낭콩은 싹이 틉니다.

5 싹이 틀 때 강낭콩은 떡잎이 나오고, 옥수수는 떡잎싸개가 나옵니다.

6 식물이 자라는 데에는 빛, 적당한 온도, 적당한 양의 물 등이 필요하며, 이 중 하나라도 부족하면 식물은 잘 자랄 수 없습니다.

7 강낭콩의 꽃이 피었다가 지고 나면 열매인 꼬투리가 생깁니다.

8 식물은 씨를 맺어 번식하기 위해서 자라면 꽃이 피고 열매를 맺습니다.

9 여러해살이 식물은 여러 해 동안 죽지 않고 살아가면서 한살이의 일부를 반복합니다.

10 강낭콩과 벼는 한 해 동안 한살이를 거치고 일생을 마치는 한해살이 식물이고, 사과나무와 개나리는 여러 해 동안 살면서 한살이의 일부를 반복하는 여러해살이 식물입니다.

87쪽 생활 속 과학 융합

1 냥이

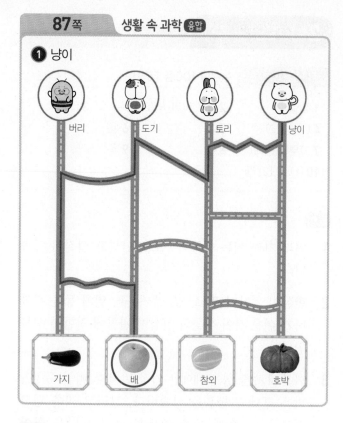

버리	도기	토리	냥이
가지	배	참외	호박

풀이

1 과일은 나무를 가꾸어 얻는, 사람이 먹을 수 있는 열매입니다. 배는 과일이고, 가지, 참외, 호박은 채소입니다.

88~89쪽 사고 쑥쑥 창의

2 댕이
3 해바라기 − (1) − ㉡

풀이

2 • 씨가 싹 트려면 적당한 온도와 적당한 양의 물이 필요합니다.
  • 온도와 물 조건 중 어느 하나라도 맞지 않으면 씨는 싹이 틀 수 없습니다.

3 해바라기가 씨를 맺은 후에 겨울에 시들어 죽은 것으로 보아 해바라기는 여러 해 동안 사는 식물이 아니라 한 해 동안 한살이를 거치고 일생을 마치는 한해살이 식물임을 알 수 있습니다.

90~91쪽 논리 탄탄 코딩

4 (2)에 ○표
5 (2), (3)에 ○표

풀이

4 • (1)과 같이 코딩을 하면 '떡잎' 칸에 도착하고, (2)와 같이 코딩을 하면 '꼬투리' 칸에 도착하며, (3)과 같이 코딩을 하면 '줄기' 칸에 도착합니다.
  • 강낭콩의 꽃이 피었다가 진 자리에는 열매인 꼬투리가 생기므로 정답은 (2)입니다.
  • (2)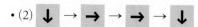

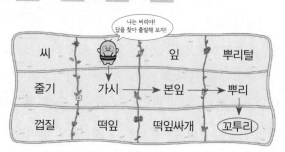

5 • 주어진 대로 코딩을 하면 (1)은 무궁화, (2)는 옥수수, (3)은 봉숭아, (4)는 개나리가 있는 칸에 도착합니다.
  • 무궁화와 개나리는 여러해살이 식물이고, 옥수수와 봉숭아는 한해살이 식물입니다.

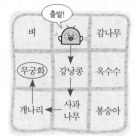

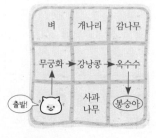

3주 물체의 무게

1일 추 무게에 따른 용수철의 변화

99쪽 개념 체크

1 무게　　2 길이　　3 지구

100~101쪽 개념 확인하기

1 ⑤　　2 예 무게　　3 ㉠
4 (1) ㉢ (2) ㉤　　5 ④, ⑤

똑똑한 하루 퀴즈

6
저	✿	그	단
✿	울	램	✿
용	✿	중	력
수	스	탠	드
철	물	무	게

① 저울
② 무게
③ 용수철
④ 그램중

풀이

1 물체의 무게를 정확하게 알기 위해 저울을 사용합니다.

2 수박의 가격을 정할 때, 빵을 만들기 위해 재료를 준비할 때, 선수들의 체급을 나눌 때는 우리 생활에서 저울을 사용해 물체의 무게를 정확하게 측정하는 예입니다.

3 용수철에 추를 걸면 용수철의 길이가 늘어납니다.

4 추의 무게가 무거울수록 용수철은 많이 늘어납니다.

5 물체의 무게는 지구가 물체를 끌어당기는 힘의 크기입니다.

6 ① 저울은 물체의 무게를 측정할 때 사용하는 도구입니다.
② 무게는 지구가 물체를 끌어당기는 힘의 크기입니다.
③ 용수철은 손으로 잡아당기면 길이가 늘어나고 잡았던 손을 놓으면 원래 길이로 되돌아갑니다.
④ g중은 그램중이라고 읽습니다.

2일 용수철저울

105쪽 개념 체크

1 합니다　　2 무게　　3 영점

106~107쪽 개념 확인하기

1 3　　2 ③　　3 (3) ○
4 (1) ㉣ (2) ㉠　　5 ㉢ → ㉡ → ㉤ → ㉣　　6 ㉡

집중 연습 문제

7 (1) 100
(2) 3
(3) 예 일정하게 늘어난다.

- 20 g중 추 ➡ 3 cm
- 40 g중 추 ➡ 6 cm
- 60 g중 추 ➡ 9 cm
- 80 g중 추 ➡ 12 cm

풀이

1 추 한 개당 늘어난 용수철의 길이는 3 cm입니다.

2 추의 무게가 80 g중보다 20 g중 늘어났으므로 이때 늘어난 용수철의 길이는 12 cm에서 3 cm 늘어난 15 cm일 것입니다.

3 용수철에 걸어 놓은 추의 무게가 20 g중씩 늘어나면 용수철의 길이도 3 cm씩 늘어났습니다.

4 (1)은 표시 자를 눈금의 '0'의 위치에 오도록 맞추는 영점 조절 나사이고, (2)는 물체나 추를 거는 부분인 고리입니다.

5 용수철저울의 사용 방법 : ㉠ → ㉢ → ㉡ → ㉣

6 용수철저울의 눈금을 읽을 때에는 표시 자와 눈높이를 맞춥니다.

7 용수철에 걸어 놓은 추의 무게를 20 g중씩 늘려 가면 용수철의 길이도 3 cm씩 일정하게 늘어납니다.

3일 수평 잡기

111쪽 개념 체크

1 수평　　2 같은　　3 무거운

112~113쪽 개념 확인하기

1 ④   **2** ③   **3** ③   **4** ㉡

집중 연습 문제

5 (1) =   (1) 같은
    (2) <   (2) 다른

풀이

1 나무판자의 왼쪽 ④에 나무토막을 올려놓았을 때 받침점으로부터 같은 거리인 나무판자의 오른쪽 ④에 같은 무게의 나무토막을 놓아야 수평을 잡을 수 있습니다.

2 무게가 같은 물체는 각각의 물체를 받침점으로부터 같은 거리에 놓아야 나무판자가 수평을 잡을 수 있습니다.

3 나무판자의 왼쪽 ③에 나무토막 1개를 올려놓았을 때 나무토막 2개를 나무판자의 오른쪽 ①과 ② 사이에 놓아야 수평을 잡을 수 있습니다.

4 무게가 다른 물체는 무거운 물체를 가벼운 물체보다 받침점에 가까이 놓아야 나무판자가 수평을 잡을 수 있습니다.

5 두 사람이 받침점으로부터 같은 거리에 앉아 수평을 잡으면 몸무게가 서로 같은 경우이고, 한 사람이 받침점에 가까이 앉아 수평을 잡으면 받침점에 가까이 앉은 사람의 몸무게가 더 무거운 경우입니다.
(1) 두 친구의 몸무게가 같은 경우 수평 잡기

(2) 두 친구의 몸무게가 다른 경우 수평 잡기

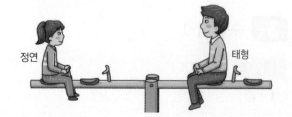

4일 양팔저울과 다양한 저울

117쪽 개념 체크

1 양팔   **2** 개수   **3** 전자

118~119쪽 개념 확인하기

1 (1) 저울대 (2) 받침점 (3) 수평 조절 장치 (4) 저울접시
  (5) 받침대

2 ㉠   **3** 풀   **4** 지우개   **5** ②

똑똑한 하루 퀴즈

6

가	정	용	체
양	❷	수	중
쪽	팔	철	계
전	자	저	❸
❹	기	❶	울

❶ 체중계   ❷ 양팔저울   ❸ 용수철   ❹ 전자

풀이

1 양팔저울의 각 부분 : ㉠-저울대, ㉡-받침점, ㉢-수평 조절 장치, ㉣-저울접시, ㉤-받침대

2 저울대는 수평대의 나무판자와 같은 역할을 합니다.

3 물체의 무게에 해당하는 클립의 수가 많을수록 무거운 물체입니다. 풀>가위>지우개 순입니다.

4 풀은 가위보다 무겁고, 가위는 지우개보다 무겁습니다.

5 체중계와 가정용 저울은 용수철의 성질을 이용하는 저울입니다.

6 ❶ 몸무게를 재는 데 쓰이는 저울은 체중계입니다.
   ❷ 양팔저울은 수평 잡기의 원리를 이용한 저울로 양쪽에 접시가 걸려 있습니다.
   ❸ 용수철의 성질을 이용한 저울은 용수철저울 등이 있습니다.
   ❹ 전기적 성질을 이용해 화면에 숫자로 무게를 표시하는 저울은 전자저울입니다.

1 ①   **2** ①   **3** ③

4 ❶ 지구 ❷ 크기   **5** ③   **6** ③

7 ❶ 영점 조절 나사 ❷ 표시 자 ❸ 고리 ❹ 눈금

8 ①   **9** (1) ㉠ (2) ㉎ ㉠을 ㉡보다 받침점에 더 가까이 놓는다. ㉡을 ㉠보다 받침점으로부터 더 멀리 놓는다. 등

10 경석   **11** 풀 (>) 가위 (>) 지우개   **12** ②

똑똑한 하루 퀴즈

13

❶무	게			
	❸용	❹수	철	
❷양		평		❻표
팔				시
	❺저	울		자

풀이

1 물체의 무게를 정확하게 알기 위해 저울을 사용합니다.

2 용수철에 걸어 놓은 추의 무게가 무거울수록 용수철이 더 많이 늘어납니다.

3 용수철에 걸어 놓은 추의 무게가 무거울수록 지구가 추를 끌어당기는 힘은 커집니다.

4 물체의 무게는 지구가 물체를 끌어당기는 힘의 크기로, 장소에 따라 달라집니다.

5 추 20 g중당 늘어난 용수철의 길이는 3 cm로 일정합니다.

6 가정용 저울, 체중계 등은 물체의 무게에 따라 일정하게 길이가 늘어나거나 줄어드는 용수철의 성질을 이용하여 만든 저울입니다.

7 영점을 조절하지 않으면 물체의 무게를 정확하게 측정할 수 없습니다.

8 양쪽에 올려놓은 나무토막의 위치가 받침점으로부터 같은 거리이므로 나무판자는 수평을 이룹니다.

9 나무판자가 수평을 잡으려면 무거운 물체를 가벼운 물체보다 받침점에 더 가까이 놓거나 가벼운 물체를 무거운 물체보다 받침점으로부터 더 멀리 놓습니다.

인정 답안

무게가 다른 두 물체 중 더 무거운 나무토막을 받침점으로부터 더 가까이 놓거나, 더 가벼운 물체를 받침점으로부터 더 멀리 놓는다는 내용을 쓰면 정답으로 인정합니다.

인정 답안의 예
- ㉠ 나무토막과 받침점 사이의 거리가 ㉡ 나무토막과 받침점 사이의 거리보다 가깝게 놓는다.
- ㉡ 나무토막과 받침점 사이의 거리가 ㉠ 나무토막과 받침점 사이의 거리보다 멀게 놓는다.
- ㉠ 물체를 ㉡ 물체보다 받침점에 더 가까이 놓는다. 등

10 현준이와 영서는 받침점으로부터 같은 거리에 있으므로 몸무게가 비슷하고, 경석이는 현준이보다 받침점에 더 가까이 있으므로 더 무겁습니다.

11 양팔저울에서 기울어진 쪽이 더 무거우므로 풀과 가위 중 풀이 무겁고, 가위와 지우개 중 가위가 무겁습니다. 따라서 풀>가위>지우개 순으로 무겁습니다.

12 전자저울은 전기적 성질을 이용하고, 체중계, 용수철저울, 가정용 저울은 용수철의 성질을 이용합니다.

13 ❶은 무게, ❷는 양팔, ❸은 용수철, ❹는 수평, ❺는 저울, ❻은 표시 자입니다.

3주 | TEST + 특강

126~127쪽 누구나 100점 TEST

1 무게   **2** ㉢   **3** 크기   **4** ①

5 (1) ㉣ (2) ㉡   **6** ③   **7** ④

8 ②, ⑤   **9** ㉢>㉠>㉡=㉣

10 예 양팔저울

풀이

1 상품의 무게에 따라 가격을 정할 때, 정해진 무게의 재료를 사용해 상품을 만들 때 등은 저울을 사용해 물체의 무게를 정확하게 측정하는 예입니다.

2 용수철에 걸어 놓은 추의 무게가 무거울수록 용수철은 많이 늘어납니다.

3 추가 무거울수록 지구가 추를 끌어당기는 힘의 크기가 크기 때문입니다.

4 용수철에 걸어 놓은 추의 무게가 일정하게 늘어나면 용수철의 길이도 일정하게 늘어납니다.

5 ㉠ – 손잡이, ㉡ – 영점 조절 나사, ㉢ – 용수철, ㉣ – 표시 자, ㉤ – 고리

6 무게가 같은 두 물체를 나무판자 위에 올려놓아 수평을 잡으려면 각각의 물체를 받침점으로부터 같은 거리에 놓아야 합니다.

7 무게가 다른 두 물체를 받침점으로부터 각각 같은 거리의 나무판자 위에 올려놓으면 무거운 물체 쪽으로 기울어집니다.

8 무거운 사람이 시소의 받침점에서 더 가까운 쪽에 앉아야 시소가 수평을 잡을 수 있습니다.

9 양팔저울의 한쪽 접시에 물체를 올려놓고 다른 한쪽 접시에 기준 물체를 올려놓아 수평을 잡으면 기준 물체의 총개수를 세어 비교합니다.

10 양팔저울, 윗접시 저울 등은 수평 잡기의 원리를 이용한 저울입니다.

129쪽 생활 속 과학 융합

❶

		★		물	질
	k	m			량
같		g	중	★	
다		♥	력		
		르	있	무	게
	없	다	♥		

풀이

❶ ❶은 g중, ❷는 중력, ❸은 무게, ❹는 질량, ❺는 다르다입니다.

130~131쪽 사고 쑥쑥 창의

❸ (1) 세윤 (2) 예 시소는 두리 쪽으로 기울어진다.

풀이

❷ 용수철저울의 각 부분은 손잡이, 영점 조절 나사, 용수철, 표시 자, 눈금과 숫자, 고리로 이루어져 있습니다.

❸ 친구들의 몸무게 비교하기 : 세윤 > 두리 > 레아 = 나래

132~133쪽 논리 탄탄 코딩

❹ ❶ 3 ❷ 3 ❸ 3 ❹ 3 ❺ 예 늘어난다

❺ ㉢, ㉠, ㉡, ㉣, ㉤

풀이

❹ 용수철에 걸어 놓은 추의 무게가 일정하게 늘어나면 용수철의 길이도 일정하게 늘어납니다.

❺ • ㉡보다 가벼운 물병끼리 양팔저울로 비교한 결과 : ㉤ < ㉣ < ㉡

• ㉡보다 무거운 물병끼리 양팔저울로 비교한 결과 : ㉡ < ㉠ < ㉢

• 물병의 무게 비교하기 : ㉤ < ㉣ < ㉡ < ㉠ < ㉢

1일 혼합물

141쪽 개념 체크

1 두	2 김밥	3 혼합물

142~143쪽 개념 확인하기

1 ㉠	2 재민	3 성질	4 ③
5 설탕			

집중 연습 문제

6 (1) ○	7 ㉡

풀이

1 김밥은 김, 밥, 단무지, 달걀, 당근 등을 섞어서 만듭니다.

2 제시된 간식은 여러 가지 재료가 섞여 있는 혼합물로, 간식에 들어 있는 각 재료의 성질은 섞이기 전과 같습니다.

3 혼합물은 두 가지 이상의 물질이 성질이 변하지 않은 채 섞여 있는 것입니다.

4 설탕은 한 가지 물질로 이루어져 있으므로 혼합물이 아닙니다. 공기, 김밥, 팥빙수, 바닷물은 두 가지 이상의 물질이 성질이 변하지 않은 채 서로 섞여 있는 혼합물입니다.

5 사탕수수에서 분리한 설탕을 다른 물질과 섞으면 다양한 종류의 사탕을 만들 수 있습니다.

6 구슬을 모양, 크기, 색깔 등에 따라 종류별로 분류하면 필요한 구슬을 쉽게 찾을 수 있습니다.

[왜 틀렸을까?]
(2) 필요한 구슬을 집기 쉽습니다.
(3) 팔찌를 만드는 데 걸리는 시간이 짧아집니다.

7 혼합물에서 분리한 물질은 그대로 이용할 수도 있고, 다양한 물질과 섞어 생활에 필요한 여러 가지 물질을 만들 수도 있습니다.

2일 알갱이 크기 차이를 이용한 분리

147쪽 개념 체크

1 크기	2 체	3 자갈

148~149쪽 개념 확인하기

1 ㉡	2 ②, ④	3 ㉠	4 ㉠ 콩 ㉡ 팥
5 ④	6 ㉠ 자갈 ㉡ 모래		

똑똑한 하루 퀴즈

7

☀	고	용	팥
수	재	체	☀
첩	소	물	크
좁	☀	기	액
콩	쌀	자	갈

1 좁쌀
2 고체
3 크기

풀이

1 알갱이 크기가 다른 고체 혼합물은 체와 같은 도구를 사용하면 쉽게 분리할 수 있습니다.

2 콩, 팥, 좁쌀의 혼합물은 알갱이의 크기 차이를 이용해 눈의 크기가 다른 두 종류의 체를 사용하여 분리합니다.

3 눈의 크기가 콩보다 크면 콩, 팥, 좁쌀이 모두 체를 통과하므로 혼합물을 분리할 수 없습니다.

4 눈의 크기가 콩보다 작고 팥보다 큰 체를 사용하면 알갱이의 크기가 큰 콩이 가장 먼저 분리됩니다.

5 해변에서 쓰레기 수거, 진흙과 재첩의 분리는 알갱이 크기 차이를 이용하여 체를 사용해 분리합니다.

6 모래와 자갈의 혼합물은 체를 사용하여 분리합니다.

7 1 콩, 팥, 좁쌀 중 알갱이 크기가 가장 작은 것은 좁쌀입니다.
2 알갱이 크기가 다른 고체 혼합물은 체를 사용하여 쉽게 분리할 수 있습니다.
3 진흙 속의 재첩은 알갱이 크기 차이를 이용하여 분리할 수 있습니다.

3일 자석을 사용한 분리

153쪽 개념 체크

1 없	2 자석	3 자석

154~155쪽 개념 확인하기

1 ㉢	2 (2) ○	3 은찬	4 철 가루
5 자석	6 ㉠		

집중 연습 문제

7 ③	8 ㉢

풀이

1 플라스틱 구슬과 철 구슬의 혼합물은 철 구슬이 자석에 붙는 성질을 이용하여 분리할 수 있습니다.

2 철이 자석에 붙는 성질을 이용하여 분리할 수 있습니다.

3 체는 알갱이 크기 차이를 이용하여 분리하는 도구입니다. 플라스틱 구슬과 철 구슬은 알갱이의 크기가 비슷하므로 체를 사용하여 분리할 수 없습니다.

4 혼합물에 철로 된 물질이 섞여 있을 때는 철이 자석에 붙는 성질을 이용하여 분리할 수 있습니다.

5 철이 자석에 붙는 성질을 이용하여 분리할 수 있습니다.

6 철 캔은 자석이 들어 있는 위쪽 이동판 ㉠에 달라붙어 이동합니다.

7 철이 자석에 붙는 성질을 이용하여 흙 속에 섞여 있는 철 가루를 분리할 수 있습니다.

8 혼합물에 철이 섞여 있을 때는 자석을 사용하여 분리할 수 있습니다.

(왜 틀렸을까?)
㉠ 소금물을 알코올램프로 가열하면 물은 증발하고 소금이 남습니다.
㉢ 모래와 자갈의 혼합물은 알갱이 크기 차이를 이용하여 체를 사용해 분리할 수 있습니다.

4일 거름과 증발을 이용한 분리

159쪽 개념 체크

1 물	2 소금	3 증발

160~161쪽 개념 확인하기

1 ㉠ 소금, ㉢ 모래	2 ㉢	3 (3) ○
4 ①, ④	5 ㉢	6 ㉢

똑똑한 하루 퀴즈

7

증	냉	☀	거
발	각	름	질
☀	모	물	잎
염	소	☀	망
가	전	금	래

❶ 거름
❷ 증발
❸ 소금

풀이

1 소금은 물에 잘 녹고, 모래는 물에 녹지 않습니다.

2 소금은 물에 녹아 거름종이를 빠져나갑니다.

3 소금물을 증발 장치에 가열하면 물의 양이 점차 줄어들고 끓게 되며, 증발 접시에 하얀색 고체 (소금)가 생깁니다.

4 깔때기와 거름종이는 거름 장치를 사용할 때 필요한 기구입니다.

5 찻잎을 망으로 거르면 찻잎의 물에 녹는 물질을 차로 마실 수 있습니다.

(왜 틀렸을까?)
㉠ 염전에서는 햇빛과 바람 등에 의하여 물을 증발시켜 소금을 얻습니다.
㉢ 설탕을 다른 물질과 섞어 사탕을 만드는 것은 혼합물에서 분리한 물질을 다른 물질과 섞어 이용하는 예입니다.

6 염전에서 햇빛과 바람 등으로 물을 증발시켜 소금을 얻습니다.

(왜 틀렸을까?)
㉠ 콩과 좁쌀은 체를 사용해 분리합니다.
㉢ 모래와 철 가루의 혼합물은 자석을 사용해 분리합니다.

7
❶ 소금과 모래를 물에 녹여 거름 장치로 거르면 물에 녹지 않는 모래는 거름종이에 남고, 소금물은 거름종이를 빠져나갑니다.
❷ 소금물을 가열하면 물이 증발하여 소금이 남습니다.
❸ 염전에서는 물을 증발시켜 소금을 얻습니다.

164~167쪽 마무리하기 문제

1 ②	**2** 두, 변하지 않은	**3** ③
4 은희	**5** ㉠ 예 크, ㉡ 예 작아	**6** ②, ③
7 ㉠	**8** 자석	

9 예 소금은 물에 녹고, 모래는 물에 녹지 않는다.
10 ③ **11** ㉠

똑똑한 하루 퀴즈

12

	❶삼			❸사
❷증	발		❹설	탕
	이			
			❺천	일	❻염
					전

풀이

1 설탕은 한 가지 물질이므로, 혼합물이 아닙니다. 김밥, 팥빙수, 나박김치는 두 가지 이상의 물질이 성질이 변하지 않은 채 섞여 있는 혼합물입니다.

2 두 가지 이상의 물질이 성질이 변하지 않은 채 서로 섞여 있는 것을 혼합물이라고 합니다.

3 분리한 설탕을 그대로 이용할 수도 있습니다.

4 콩, 팥, 좁쌀의 혼합물은 알갱이의 크기 차이를 이용하여 체를 사용해 분리할 수 있습니다.

5 눈의 크기가 좁쌀보다 크고 팥보다 작은 체를 써야 좁쌀이 체의 눈을 통과하여 혼합물을 분리할 수 있습니다.

6 모래와 자갈, 모래와 진흙 속 재첩의 분리는 알갱이의 크기 차이를 이용한 체를 사용하여 분리할 수 있습니다.

【 왜 틀렸을까? 】
① 바닷물에서 소금을 분리할 때는 증발을 이용하여 분리합니다.
④ 다른 물체들과 섞여 있는 납작못은 납작못(철)이 자석에 붙은 성질을 이용하여 분리합니다.
⑤ 철 캔과 알루미늄 캔은 철 캔이 자석에 붙은 성질을 이용하여 분리합니다.

7 철이 자석에 붙는 성질을 이용하여 분리할 수 있습니다.

8 식품 속에 섞여 있는 철 가루를 자석으로 분리합니다.

9 물에 녹는 물질과 물에 녹지 않는 물질을 분리할 때 거름 장치를 사용합니다.

【 인정 답안 】
물에 녹는 물질과 물에 녹지 않는 물질을 표현했으면 정답으로 인정합니다.

인정 답안의 예
· 소금만 물에 녹는다.
· 소금은 물에 녹고 모래는 물에 녹지 않는다. 등

10 물이 증발하여 공기 중으로 날아가므로 물의 양이 줄어듭니다.

11 찻잎을 망으로 거르면 찻잎의 물에 녹는 물질을 차로 마실 수 있습니다.

【 왜 틀렸을까? 】
㉡ 모래와 자갈은 알갱이 크기 차이를 이용하여 분리합니다.
㉢ 플라스틱 구슬과 철 구슬의 혼합물은 철 구슬이 자석에 붙는 성질을 이용하여 분리합니다.

12 ❶은 삼발이, ❷는 증발, ❸은 사탕, ❹는 설탕, ❺는 천일염, ❻은 염전입니다.

4주 | TEST+특강

168~169쪽 누구나 100점 TEST

1 혼합물 **2** (2) ○ **3** ㉢ **4** ⑤
5 ② **6** ⑤ **7** 철 캔 **8** ㉡
9 모래 **10** (1) ○ (2) × (3) ×

풀이

1 두 가지 이상의 물질이 성질이 변하지 않은 채 서로 섞여 있는 것은 혼합물입니다.

2 혼합물 속 각 물질의 성질은 섞기 전과 같습니다.

3 설탕은 한 가지 물질로 이루어진 물질이고, 사탕수수와 사탕수수에서 분리한 설탕은 모두 단맛이 납니다.

4 좁쌀만 체를 통과하므로 체의 눈이 좁쌀보다는 크고 팥보다는 작다는 것을 알 수 있습니다.

5 간장과 된장 만들기는 거름과 증발을 이용하여 혼합물을 분리하는 예입니다.

6 플라스틱 구슬과 철 구슬의 혼합물은 철 구슬이 자석에 붙는 성질을 이용하여 분리할 수 있습니다.

7 캔 혼합물이 이동판을 따라 옮겨질 때 자석이 들어 있는 위쪽 이동판에 철 캔만 달라붙어 분리됩니다.

8 물에 녹는 물질과 물에 녹지 않는 물질이 섞여 있는 혼합물을 물에 녹인 뒤 거름종이에 걸러서 분리합니다.

9 소금과 모래의 혼합물을 물에 녹여 거름 장치로 거르면 물에 녹지 않는 모래가 거름종이에 남습니다.

10 소금물을 증발 접시에 붓고 가열하면 물이 점차 줄어들다가 끓게 되고, 하얀색 소금이 남습니다.

4주 | 특강

171쪽 생활 속 과학 융합

❶ | 5 | 3 | 4 | 6 |

풀이

❶ 우유 속 단백질이 산에 의해 응고되는 성질을 이용하여 치즈를 만듭니다.

172~173쪽 사고 쑥쑥 창의

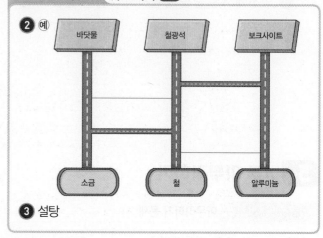

❷ 예

❸ 설탕

풀이

❷ 바닷물-소금, 철광석-철, 보크사이트-알루미늄이 연결되도록 선을 그으면 됩니다.

❸ 두 가지 이상의 물질이 섞여 있는 것은 혼합물입니다. 소금과 모래의 혼합물을 물에 녹이면 소금물이 거름종이를 통과합니다. 찻잎을 망으로 걸러 녹차를 우려내는 방법은 거름이고, 약이나 식품 속에 들어 있는 철 성분은 자석으로 분리합니다. 위에서부터 옳은 내용을 따라가면 혼합물 → 소금물 → 거름 → 자석 → 설탕입니다.

174~175쪽 논리 탄탄 코딩

❹ (1) ❶2❷4 (2) 분리   ❺ ❶후추 ❷소금물 ❸소금

풀이

❹ 김밥, 멸치볶음, 샌드위치, 바닷물은 두 가지 이상의 물질이 성질이 변하지 않은 채 서로 섞여 있는 혼합물입니다.

❺ 소금과 후추의 혼합물을 물에 녹여 거름 장치로 거르면 물에 녹지 않는 후추는 거름종이에 남고 소금물은 거름종이를 통과합니다. 소금물을 증발시키면 소금이 남습니다.

水 漁 之 交
물 물고기 갈 사귈
수 어 지 교

물고기에게 물은 정말 소중한 존재이지요.
수어지교란 물고기와 물의 관계처럼,
아주 친밀하여 떨어질 수 없는 사이
또는 깊은 우정을 일컫는 말이랍니다.

배움으로 행복한 내일을 꿈꾸는
천재교육 커뮤니티 안내

 교재 안내부터 구매까지 한 번에!
천재교육 홈페이지

자사가 발행하는 참고서, 교과서에 대한 소개는 물론
도서 구매도 할 수 있습니다. 회원에게 지급되는 별을 모아
다양한 상품 응모에도 도전해 보세요!

 다양한 교육 꿀팁에 깜짝 이벤트는 덤!
천재교육 인스타그램

천재교육의 새롭고 중요한 소식을 가장 먼저 접하고 싶다면?
천재교육 인스타그램 팔로우가 필수!
깜짝 이벤트도 수시로 진행되니 놓치지 마세요!

 수업이 편리해지는
천재교육 ACA 사이트

오직 선생님만을 위한, 천재교육 모든 교재에 대한 정보가 담긴
아카 사이트에서는 다양한 수업자료 및 부가 자료는 물론
시험 출제에 필요한 문제도 다운로드하실 수 있습니다.

https://aca.chunjae.co.kr

 천재교육을 사랑하는 샘들의 모임
천사샘

학원 강사, 공부방 선생님이시라면 누구나 가입할 수 있는 천사샘!
교재 개발 및 평가를 통해 교재 검토진으로 참여할 수 있는 기회는 물론
다양한 교사용 교재 증정 이벤트가 선생님을 기다립니다.

 아이와 함께 성장하는 학부모들의 모임공간
튠맘 학습연구소

튠맘 학습연구소는 초·중등 학부모를 대상으로 다양한 이벤트와 함께
교재 리뷰 및 학습 정보를 제공하는 네이버 카페입니다.
초등학생, 중학생 자녀를 둔 학부모님이라면 튠맘 학습연구소로 오세요!